L'Officiel de l'HUMOUR 2011

ISBN : 978-2-7540-2084-8
Dépôt légal : 4e trimestre 2010
Imprimé en France par CPI Brodard et Taupin

Un ouvrage proposé par : e-Novamedia

Conception graphique : MADmac
Correction : Anne-Lise Martin
Couverture : Olivier Frenot
Illustrations : Denis Truchi

Nous nous efforçons de publier des ouvrages qui correspondent à vos attentes et votre satisfaction
est pour nous une priorité. Alors, n'hésitez pas à nous faire part de vos commentaires :

Éditions First
60, rue Mazarine
75006 Paris – France
e-mail : firstinfo@efirst.com
Site internet : www.editionsfirst.fr

Jacques,

pour élargir

ton répertoire

de bonnes

blagues....

Éric Bisson

&

Brigitte Blondin

LAURENT GAULET

L'Officiel de l'HUMOUR 2011

+ de 1500 blagues, devinettes, bêtisiers 100 % inédits

FIRST
 Editions

SOMMAIRE

À la campagne

À la campagne

• **Un paysan mène une vache sur la route.** Un voisin qui passait en voiture s'arrête à son niveau et lui demande :
– Salut ! Tu l'amènes où, ta vache ?
– Ben, je la mène au taureau !
– Mais c'est pas ton père qui fait ça, d'habitude ?
– Si ! Mais aujourd'hui, c'est le taureau.

• **Un couple de paysans se rend à la ville pour faire quelques emplettes.** La femme entre dans une boutique de vêtements pour y essayer un pantacourt taille 54. Mais elle craque dedans…
– Ça ne te va pas du tout ! lui dit son mari. Ça te fait le cul aussi large qu'une moissonneuse-batteuse !
Le soir, le couple est au lit et l'homme se colle à sa femme pour tenter de l'exciter un peu, mais elle rejette aussitôt ses avances :
– Dis-moi ! Tu crois pas que je vais mettre la batteuse en marche pour un aussi petit épi ?

• **Un paysan qui croulait sous les dettes se voit contraint de céder son exploitation.** Peu de temps après, sa femme le quitte. L'homme quitte sa ferme pour aller s'installer en ville où il trouve un emploi de vitrier. Un jour, il rencontre un vieux copain dans la rue :
– Salut ! Alors, comment vas-tu ?
– Ma femme m'a quitté.
– Merde. Et qu'est-ce que tu deviens ?
– Eh bien, avant je labourais, et maintenant je mastique !

• **Deux paysans discutent sur un banc.**
– Tu vois cet arbre, là-bas ?
– Oui, je le vois bien…
– Eh bien, c'est derrière cet arbre que j'ai fait l'amour pour la première fois.
– Ah bon ? Et avec qui ?
– C'était avec la Marie-Claude…

– Tu sais, la Marie-Claude, c'était une chaude ! Je crois que tout le quartier en a un petit peu profité.

– Oui, c'est bien possible. Je me rappelle, il y avait même sa mère qui nous regardait !

– Ah bon ? Et qu'est-ce qu'elle disait ?

– Ben… La même chose que la Marie-Claude : « Meuuuuhhh ! »

• **Deux copains d'école se retrouvent après une quinzaine d'années à discuter autour d'un verre.**

– Raconte-moi un peu ce que tu deviens !

– Je suis agriculteur.

– Ah ? Comme moi, alors !

– C'est vrai ? Moi, j'ai une cinquantaine de vaches laitières, une ferme de 10 hectares et je gagne environ 30 000 euros par an. Et toi ?

– Moi, j'ai cinq cochonnes, 50 mètres de trottoir et je gagne environ 300 000 euros par an !

• **Un type roule à près de 110 kilomètres/heure sur une route nationale lorsqu'un poulet à trois pattes le dépasse !** Puis un deuxième !? Et un troisième !!! L'automobiliste s'arrête alors sur le bas-côté, et c'est toute une bande de poulets à trois pattes qu'il voit alors passer en trombe devant lui pour aller rejoindre leur poulailler à une centaine de mètres de là. Le type se rend jusqu'à la ferme voisine et demande au paysan :

– J'ai vu quelque chose d'incroyable : des poulets à trois pattes !

– Bah… Je sais, ce sont mes poulets.

– Mais !? Ils ont trois pattes ?

– Bah… Ouais, nous, dans le poulet, on n'aime que les cuisses, alors…

– Et vous en mangez souvent ?

– Bah… Non, on n'arrive pas à les attraper !

• Un couple se rend à la campagne pour passer une semaine dans une ferme qui reçoit des touristes dans des chambres d'hôtes. Au petit matin, après avoir passé une première nuit, l'homme vient se plaindre auprès du paysan :

– Votre chambre est très bien mais… il y a des mouches à merde partout ! C'est insupportable !

– C'est normal, lui répond le paysan, il y a des vaches pas loin, la cour des canards, les cochons… Tout cela attire les mouches à merde !

– Écoutez. Soit vous faites quelque chose, soit on s'en va !

Et dès le lendemain, les mouches se font moins nombreuses. À la fin de la semaine, elles ont même totalement disparu !

Le couple de touristes vient saluer le paysan avant de partir et ce dernier en profite pour leur demander :

– Alors, les mouches. Vous n'en avez plus trop eu ?

– Parfait ! Elles ont disparu ! Comment avez-vous fait ?

– Ben… Elles sont toutes allées sur le pépé !

– Et pourquoi ?

– Ben… On ne lui a pas changé sa couche de toute la semaine !

– Et il n'a rien dit ?

– Ah, ça non, il est paralysé !

• Maurice veut faire castrer son bouc qui monte tout ce qui bouge. Il appelle le vétérinaire, qui lui précise que cela lui coûtera 150 euros. Comme il n'y a pas de petit profit, il demande à son voisin, celui qui tue le cochon tous les ans, s'il ne peut pas faire quelque chose pour son bouc…

– 150 euros ! S'emmerde pas le véto ! Moi, je te le fais pour 10 euros !

– D'accord. Tu promets que ça ne fait pas mal !

– Promis ! Faut faire ben attention, et ça fait point mal…

Le voisin vient donc voir le bouc et lui écrase les testicules en les frappant violemment entre deux briques. Le bouc pousse d'atroces cris de douleur.

– T'avais dit que ça faisait point mal !

– Ben oui ! Ça fait point mal ! Faut faire ben attention à pas se coincer les doigts, c'est tout…

• **Une paysanne dit à son mari :**
– Cette nuit, tu as fait du bruit quand tu es rentré ! Je me suis levée et je t'ai trouvé, complètement bourré, allongé à côté de la biquette ! Je t'ai laissé dormir là, ça t'apprendra !
– Nom de Dieu ! hurle le mari. Et moi qui croyais que tu t'étais enfin décidée à me faire une gâterie !

• **Un homme écrase une chèvre sur la route...**
L'automobiliste se rend chez le paysan pour s'excuser.
– Je suis navré, j'ai écrasé votre chèvre.
– Sacré nom de Dieu ! Ma chèvre !
– Oui, vraiment, je suis désolé... Mais peut-être que je pourrais la remplacer ?
– Bah... Ça sera peut-être un peu compliqué parce que toi, t'as qu'un petit trou ?

Atroces
et bien dégueu

• **Un enfant demande à sa mère :**
— Maman ! Maman ! Je peux aller jouer avec mes petits frères et mes petites sœurs ?
— Oui, mais pas longtemps, il faudra vite les remettre au congélateur !

• **Deux prisonniers, un Noir et un Blanc, partagent la même cellule.** Un jour, le Noir propose à son compagnon de cellule :
— Et si on jouait à pile ou face celui de nous deux qui aura le droit d'enculer l'autre ?
Le Blanc accepte et gagne à pile ou face. Le Noir se met donc à quatre pattes pendant que le Blanc s'astique le sexe avec un produit gras et blanc…
— Qu'est-ce que tu fais ? lui demande le Noir.
— Je m'astique la bite avec de la vaseline, comme ça, tu auras moins mal au cul !
Le lendemain, les deux compagnons de cellule rejouent à pile ou face et c'est encore le Blanc qui gagne. En fait, il a de la chance et gagne tous les jours de la semaine ! Chaque fois, il prend la précaution de s'astiquer le sexe avec de la vaseline avant d'enculer son compagnon de cellule. Un jour pourtant, la chance tourne… Le Blanc se positionne alors à quatre pattes pendant que le Noir s'astique le sexe d'un gel vert.
— Qu'est-ce que c'est ? lui demande le Blanc.
— C'est du Vicks ! Comme ça, quand je vais te sodomiser, tu auras moins mal à la gorge !

• **Un homme cagoulé entre revolver au poing dans une banque du sperme.** Il braque l'arme vers la réceptionniste et lui demande de le conduire là où se trouvent les dons de sperme. La femme s'exécute et l'y conduit. Il l'oblige ensuite à prendre plusieurs échantillons et lui intime l'ordre de les boire. La femme refuse, mais l'homme appuie le canon de son arme contre sa tempe… Contrainte et forcée, la femme vide le contenu des flacons. L'homme pose enfin son arme, retire sa cagoule et dit :
— Tu vois, chérie, que tu peux le faire !

• Un petit taliban demande à son père :
– Papa, pourquoi maman elle est toute froide ?
– Tais-toi et creuse !

• Quelle différence y a-t-il entre un bébé blanc et un bébé noir ?
10 minutes, thermostat 8.

• Quelle différence y a-t-il entre un trou du cul et une pastille Valda ?
Le goût.

• Un gars entre dans un bistrot et demande au patron :
– Neuf Ricard ! Vite !!!
– Neuf ? Je vous les sers tous maintenant ?
– Oui, vite !
Pendant que le patron remplit les neuf verres, il demande au type :
– Vous fêtez quelque chose ?
– Oui, ma première fellation.
– C'est bien, ça ! Allez… Si vous buvez les neuf Ricard, je vous offre le dixième !
– Vous savez, si au bout de neuf j'ai toujours le goût dans la bouche, je doute que le dixième puisse changer quelque chose…

• Un petit garçon demande à sa maman :
– Maman ! Maman ! Je peux aller jouer avec papa dans la cave ?
– Oui, mais fais attention aux asticots et n'oublie pas de remettre la bâche plastique sur ton père après !

• Le juge questionne l'accusé :
– Pourquoi avoir découpé cette jeune fille ?
– Pour la manger, monsieur le président…
– Pour la manger… N'avez-vous jamais eu de regrets ?
– C'est que… Je ne crois pas, monsieur le président.

– N'avez-vous jamais pleuré ?
– Oh, si ! monsieur le président. Beaucoup !
– Ah, tout de même ! Et à quel moment ?
– En découpant l'oignon, monsieur le président !

• **Un jour, le prince Charles avait dit à la reine mère :**
– Diana commence à m'énerver, je la trouve beaucoup trop bavarde !
– Sois patient, lui avait-elle répondu, elle finira bien par s'écraser !

• **Pourquoi les bas de pantalon de Ray Charles étaient-ils jaunes ?**
Parce que son chien lui aussi était aveugle.

• **Quel point commun y a-t-il entre le Père Noël et un pédophile ?**
Ils vident leurs sacs pour les enfants...

• **Qu'est-ce qui est raide, qui sent mauvais et qui excite les femmes de plus de 60 ans ?**
Elvis Presley.

• **Un professeur de médecine donne un premier cours d'anatomie à ses étudiants.** Un macchabée est allongé sur une table et le professeur commence le cours :
– La première règle, c'est de ne jamais être dégoûté par ce que vous faites !
Le professeur introduit alors un doigt dans l'anus du cadavre, le retire, puis se lèche le doigt. Il demande ensuite aux étudiants d'en faire autant. Chacun leur tour, ils introduisent leur doigt dans l'anus du mort, puis le lèchent avec dégoût.
– La seconde règle, dit le professeur, c'est d'être très attentif. Vous m'avez vu introduire mon index dans l'anus de ce corps. Cependant, j'ai l'impression qu'aucun d'entre vous n'a remarqué que je m'étais léché le majeur...

• **Un enfant demande à son père :**
– Papa ! Papa ! Je peux m'amuser à coiffer maman ?
– Si tu veux. Mais n'oublie pas de remettre la tête dans la poubelle !

• **Un enfant rentre en pleurs de chez sa mamie...**
– Pourquoi pleures-tu ?
– Parce que je suis un nain, maman...
– Mais tout le monde t'aime tel que tu es, mon enfant ! Qu'est-ce qui ne va pas ?
– C'est mamie, elle se moque de moi parce que je suis petit...
– Mais non... Qu'est-ce qui te fait penser ça ?
– Elle m'a dit : « Prends l'escabeau, et va me ramasser des fraises dans le jardin ! »

• **– Racontez-moi encore votre histoire...**
– Oui, bien sûr. C'est vrai qu'elle est incroyable ! Alors voilà, je roulais tranquillement sur la nationale 10. Je n'avais pas bu, je n'étais pas fatigué. Soudain, je vois quelque chose traverser. Je freine et vois effectivement une grenouille plantée au milieu de la route et qui me regarde. Je descends, il faut dire que j'aime bien les animaux et que mon intention était de la remettre dans l'herbe... Quand j'étais petit, j'avais un chien et...
– Continuez, je vous en prie...
– Je descends donc, et là, la grenouille me dit : « T'as failli m'écraser, beau gosse ! » J'en croyais pas mes oreilles, la grenouille parlait !? Je lui ai dit que je ne la croyais pas, mais elle continuait à parler ! Ensuite, elle a bondi sur le siège passager, a bouclé sa ceinture et m'a dit : « Vas-y, maintenant roule, beau gosse ! » Alors j'ai roulé jusqu'à chez moi...
– Chez vous ? Et pourquoi pas chez elle ?
– J'aurais bien voulu la raccompagner chez elle, mais elle m'a dit qu'elle avait des problèmes d'inondation en ce moment.
– Vous l'avez crue ?
– Oui, elle était toute mouillée ! On arrive ensuite chez moi... À peine descendue de la voiture, elle monte dans ma

chambre, saute sur le lit et écarte les jambes ! Là, j'ai compris qu'il s'agissait en réalité d'une princesse transformée en grenouille et qu'il fallait que je lui fasse l'amour pour qu'elle redevienne princesse !!!
– Vous n'avez pas eu peur de lui faire mal ?
– Non. J'ai éteint la lumière et je lui ai fait l'amour toute la nuit. Et ce n'est que lorsque j'ai rallumé la lumière que j'ai vu que la grenouille s'était transformée en petite fille, monsieur le juge...

• **Un enfant dit à sa mère :**
– Keufff ! Maman. Keufff ! Keufff ! J'étouffe, maman.
– C'est bien, c'est que ça vient.

• **Un couple a un terrible accident de voiture.** La femme se réveille au service de réanimation de l'hôpital :
– Où suis-je ?
– Vous êtes à l'hôpital, vous avez eu un accident.
– Mon mari ! Où est-il ? Comment va-t-il ?
– J'ai une bonne et une mauvaise nouvelle... La mauvaise nouvelle, c'est que nous avons été obligés de l'amputer des deux jambes et qu'il est paralysé à vie.
– C'est horrible ! Et la bonne nouvelle ?
– La bonne nouvelle, c'est que je plaisantais et qu'il est mort sur le coup.

• **La maîtresse demande à ses élèves de raconter ce qui, pour eux, a été l'événement le plus important de la semaine qui vient de s'écouler.** À la lecture des copies, l'enseignante interroge Kévin.
– Kévin, ton père est tombé dans un puits cette semaine ?
– Oui, maîtresse !
– Oh ! Et il va mieux maintenant ?
– Je crois, oui... Ça fait deux jours qu'il n'appelle plus à l'aide !

• **La clinique téléphone à un futur papa qui est sur son lieu de travail :**
– Monsieur, venez vite, votre femme est en train d'accoucher !
Le futur papa quitte son travail en courant, prend sa voiture, roule le plus vite possible, se gare, court jusqu'à la clinique, trouve enfin la chambre, entre et s'assoit exténué sur le lit de sa femme.
– J'ai... ouf... J'ai pas pu... ouf... faire plus vite... ouf.
Tout... tout s'est bien passé ?
– Oui.
– Où est le bébé ?
– Tu es assis dessus, mon chéri...

• **Le 25 décembre au soir, un petit garçon dont les parents viennent de décéder est conduit à l'orphelinat...** La directrice reçoit le petit et lui dit :
– Tu dois être bien triste... Des parents qui meurent le jour de Noël...
Pour lui changer les idées, elle lui demande :
– Dis-moi, as-tu au moins eu un sapin de Noël chez toi ?
– Oui... Un très, très gros et très, très grand !
– Ah ! Et le matin, as-tu trouvé quelque chose sous ton sapin ?
– Oui... Mes parents...

• **Trois petites vieilles se promènent dans le bois de Boulogne.** L'une d'elles dit en désignant les préservatifs qui jonchent le sol :
– C'est pas honteux ? Regardez-moi ça ! Ils jettent ça partout !
– De notre temps, dit la seconde, on n'utilisait pas ce genre de chose ! Ils baisent n'importe comment !
La troisième en ramasse un avec sa canne.
– Et ils laissent même le meilleur ! dit-elle en avalant son contenu.

• **Un chef de chantier doit se rendre chez la femme d'un ouvrier pour lui annoncer la mort de son mari, écrasé sous un rouleau compresseur.** Ne trouvant pas le courage de le faire, il confie la délicate mission à un de ses ouvriers. Trente minutes plus tard, l'ouvrier revient de chez la veuve.
– Alors ? Comment ça s'est passé ? demande le chef.
– Ben… Elle n'était pas là !
– Mince ! Bon, en attendant, il faut qu'on s'occupe du corps. Qu'en avez-vous fait ?
– Ben… Je l'ai glissé sous la porte !

• **Une femme vient d'accoucher.** La sage-femme présente l'enfant au père.
– C'est un garçon, monsieur. Tout s'est très bien passé. Il est magnifique, mais il n'a pas d'oreilles…
Malgré cette malformation, le père reste l'homme le plus heureux du monde ! Arrivent les beaux-parents. Le papa montre le petit et la belle-mère dit :
– Il n'a pas d'oreilles, cet enfant ?
– Ce n'est rien, il est beau, non ?
Le père est un peu vexé. Viennent ensuite ses parents, et là aussi, ils lui disent :
– Mais !? Il n'a pas d'oreilles !!!
– J'en ai marre que l'on me dise qu'il n'a pas d'oreilles ! C'est mon fils et je le trouve très réussi !
Malheureusement, toutes les personnes qui viennent voir le petit à la clinique disent la même chose :
– Il n'a pas d'oreilles ?
Excédé, le père dit :
– Le premier qui ne me parle pas des oreilles de mon fils, ce sera lui son parrain !
Arrive un cousin éloigné. Ce dernier ne disant rien, le papa finit par lui demander :
– Tu accepterais de devenir son parrain ?
– Heu…
– Tu hésites ?

– Non, mais tu es certain qu'il n'a pas des problèmes de vue, ce petit ?
– Pourquoi dis-tu cela ?
– Parce que s'il doit porter des lunettes, il va être emmerdé !

• **Un fumeur qui est en phase terminale d'un cancer de la gorge dit à sa femme :**
– À ma mort, je veux être incinéré, et que l'on répartisse mes cendres dans le jardin...
– Ah non ! fait sa femme. Pas question que tu continues à nous emmerder à mettre des cendres partout !

• **Une assistante de direction entre en larmes dans le bureau de son directeur.**
– Monsieur le directeur ! C'est atroce !
– Qu'y a-t-il, ma petite ?
– Je suis allée chez mon gynécologue, hier. Il m'a dit que j'étais enceinte !
– Et alors ?
– Il n'y a qu'avec vous que j'ai eu des relations sexuelles. L'enfant est de vous...
– Vous savez, je suis marié, j'ai des enfants... Qu'allez-vous faire ?
– Je ne sais pas, car il est trop tard pour avorter ! C'est horrible ! Je n'ai que 17 ans et mes parents vont me jeter à la rue ! Il ne me reste plus qu'à me suicider !
– Ma petite, j'ai toujours su que je pouvais compter sur vous !

• **Un petit garçon pleure :**
– Maman ! J'veux pas aller en Amérique ! J'veux rentrer à la maison !
– Tais-toi ! Tu sautes à l'eau et tu nages !

• **Un homme qui se promène dans un parc aperçoit un SDF en train de brouter l'herbe d'une pelouse. Il s'en approche et lui dit :**
– Mais !? Que faites-vous ?

– J'ai trop faim, monsieur ! Je mange l'herbe !
– Ne faites pas ça, malheureux ! Arrêtez tout de suite et
suivez-moi !
– C'est-à-dire que...
– Ne soyez pas gêné ! Qu'y a-t-il ?
– Il y a aussi ma femme et mes enfants. Ils sont un peu plus
loin, et eux aussi sont en train de manger de l'herbe...
– Ce n'est pas un problème ! Suivez-moi, tous !
Le SDF et sa famille suivent donc leur bienfaiteur jusque chez
lui. L'homme les fait ensuite entrer dans sa grande demeure.
Une fois dans le couloir, il leur demande de le suivre jusqu'à
la porte du fond. Arrivé à la porte du fond, le propriétaire des
lieux l'ouvre et dit :
– Voici mon jardin ! Il y a bien 50 centimètres d'herbe, ça
fait trois mois que je n'ai pas tondu !

• **Un bébé de 3 mois est en train de manger un journal...**
Son frère appelle sa maman à l'aide :
– Maman ! Maman ! Il est en train de manger le journal !
– C'est pas grave, c'est celui d'hier !

• **Il était une fois une jeune fille très belle, mais toujours
vierge...** Tous les hommes aimeraient bien déflorer la
belle, mais la jeune fille a un grave problème : son sexe sent
horriblement mauvais ! Chaque fois qu'elle s'est déshabillée
devant un homme, ce dernier est parti en courant avant
d'avoir commencé à faire quoi que ce soit ! L'odeur est
insoutenable. La jeune fille s'est résolue à passer une petite
annonce : « Belle JF ch. H sans nez pour faire l'amour. »
Un homme qui a été victime d'un accident de la route
répond à l'annonce. La jeune fille le rencontre et constate
qu'effectivement il n'a plus de nez...
– Alors comme ça, vous avez perdu votre nez ?
– Oui, dans un accident de voiture...
– Et... Vous ne sentez donc plus rien ?
– Non, aucune odeur ! Malheureusement...

Après avoir fait connaissance, la jeune fille et l'homme décident de se rendre à l'hôtel pour passer à l'acte. La fille se déshabille, l'homme s'installe sur elle et se met à hurler :
– Pouaaaah !!! Mais ? Ça pue !
– Qu'est-ce qui se passe ? demande la jeune fille. Vous m'aviez dit que vous ne sentiez plus les odeurs !
– Oui, mais qu'est-ce que ça pique les yeux !!!

• **Un homme se rend chez son médecin qui doit lui annoncer ses résultats au test HIV.** L'homme est très anxieux...
– Alors, docteur, vous avez reçu les résultats ?
– Oui, asseyez-vous...
– Alors ?
– Eh bien... Le test montre que vous êtes HIV positif.
– Ce qui veut dire ?
– Ce qui veut dire que vous êtes porteur du virus du sida.
– Et merde ! Si on ne peut même plus faire confiance aux enfants !

• **Une femme a le malheur d'accoucher d'un enfant anormal.** C'est un cas unique au monde, l'enfant n'est en fait qu'une oreille ! Pas de corps, pas de tête, ni bras ni jambe, juste une oreille... La mère, courageuse, lui parle doucement (à l'oreille) :
– Ne t'inquiète pas, mon petit. Je te protégerai toute ma vie. Je t'aime, et ça, personne ne pourra m'en empêcher ! Tu es différent des autres, mais cela n'altère en rien l'amour que je te porte ! Tu es mon enfant et je t'aime tel que tu es...
La sage-femme qui écoutait la mère l'interrompt :
– Vous fatiguez pas, madame, il est sourd !

• **Une petite fille dont le chien s'appelle Baba attend sa maman à la sortie de l'école.** Lorsque sa mère arrive, elle lui annonce :
– J'ai une très mauvaise nouvelle à t'apprendre... Ton « Baba » est mort ce matin, il s'est fait écraser par une

voiture. Je sais que tu l'aimais beaucoup, tu dois être très triste. J'ai dû l'enterrer dans le jardin. Si tu veux, en rentrant, tu pourras lui mettre des fleurs sur sa tombe ?

– OK, maman ! fait sa fille qui ne semble absolument pas affectée par la mauvaise nouvelle.

À peine arrivée chez elle, la petite fille entre dans la maison et se met à appeler :

– Baba ! Baba ! Je suis rentrée ! Où tu es Baba ? Coucou ? Baba !

La mère est extrêmement embarrassée… La petite fille sort ensuite dans le jardin et continue de l'appeler :

– Baba ! Baba ! Où tu te caches ?

La mère saisit alors sa fille par les épaules et, entre quatre yeux, lui redit la mauvaise nouvelle…

– Mais voyons… Je te l'ai dit tout à l'heure : Baba est mort, il…

– Ouiiiin !!! Ouiiiiin !!! J'avais compris « papa » ! Bouuuuuh-ouuuuh !

• **Alors qu'un couple s'apprête à sortir de chez le médecin, ce dernier demande à s'entretenir seul avec la femme :**

– Madame, votre mari est très gravement malade, il ne lui reste que deux ou trois jours à vivre.

– Oh, non !

– Si je peux vous donner un conseil, madame, et puisqu'il ignore tout de sa maladie, c'est de continuer à faire comme si de rien n'était. Il ne souffrira pas et je pense qu'il serait bien pour lui qu'il vive pleinement ces derniers jours.

– Vous avez raison, il est inutile de le torturer…

Le couple rentre à la maison et le mari interroge sa femme :

– Qu'est-ce qu'il voulait te dire, le docteur ?

– Le docteur… Oh, rien… En fait, ta carte Vitale ne passait pas. Pour ne pas t'embarrasser, il n'a pas osé te le dire, alors il a fait passer la visite sur ma carte !

– Ah bon ?

La femme se rend ensuite à la cuisine et se lance dans la réalisation de pâtisseries.

– Je peux t'aider, chérie ? demande le mari.
– Non, ça va aller ! Merci.
Deux heures plus tard, leurs enfants rentrent de l'école. À peine arrivés, ils se jettent sur les gâteaux encore chauds. La mère les surprend en train de se goinfrer et se met à les frapper.
– Bande de petits cons ! Touchez pas à ça ! Vous n'êtes que des morfals !
Le père intervient :
– Mais qu'est-ce qui te prend, pourquoi tu les engueules comme ça ?
– Ils sont en train de bouffer les gâteaux de ton enterrement !

Les belles-mères

• **Un homme achète deux bouteilles de parfum Chanel n° 5.** La vendeuse lui demande :
– C'est pour offrir ?
– Oui.
– Vous avez fait un très bon choix, votre femme va adorer !
– Ce n'est pas pour ma femme, c'est pour ma belle-mère !
– Ah ?
– Oui, elle m'a dit qu'elle donnerait la moitié de sa vie pour une bouteille de Chanel n° 5. Alors, moi, je lui en offre deux...

• **Une femme cannibale sert son mari à table.** Ce dernier goûte le morceau de viande et fait un peu la grimace.
– Ça te plaît pas ?
– Bof... Pas trop, non.
– Pourtant, tu as toujours dit que tu adorais ta mère ?

• **Que faire si, avec un fusil et deux cartouches, vous vous trouvez face à quatre tigres affamés et votre belle-mère ?**
Utilisez les deux cartouches pour votre belle-mère !

• **Comment appelle-t-on une belle-mère qui ne peut plus marcher ?**
On ne l'appelle pas, on la laisse là où elle est.

• **Comment empêcher une belle-mère de se noyer ?**
En la tuant avant de la jeter à l'eau.

• **Un démarcheur frappe à la porte d'une maison.** Un homme lui ouvre et il lui explique :
– Bonjour, monsieur. Depuis la grande canicule, nous faisons une collecte pour les maisons de retraite. Vous savez, beaucoup de personnes âgées sont mortes faute de moyens. Auriez-vous quelque chose à nous donner ?
– Oui...
L'homme se retourne et appelle dans la maison :
– Belle-maman ! Faites votre valise ! Il y a quelqu'un qui vient vous chercher !

• Un automobiliste fait une embardée pour éviter une vieille dame qui traversait sans regarder. Sur le bas-côté de la route, le conducteur écrase une poule. L'homme descend de la voiture, demande à la vieille femme si elle va bien, puis si elle connaît le propriétaire de la poule. Cette dernière lui indique la ferme et il s'y rend aussitôt. Il rencontre le paysan et lui annonce :
– Monsieur ! Je suis désolé, j'ai écrasé cette poule sur la route.
– Boudiou ! C'était ma meilleure pondeuse !
– Je suis navré. J'ai fait un écart pour éviter la vieille dame qui traversait et j'ai écrasé votre poule.
– Vous venez donc m'annoncer deux mauvaises nouvelles : vous avez écrasé ma meilleure pondeuse pour éviter de tuer ma belle-mère ?

• Comment distingue-t-on les bons champignons des mauvais ?
Faites-les goûter à votre belle-mère. Si elle en meurt, c'est qu'ils sont bons !

• En faisant une ruade, une mule tue une vieille dame qui passait derrière elle. Son gendre, à qui appartient la mule, organise les funérailles de sa belle-mère. Le jour de l'enterrement, des centaines de personnes se pressent et tentent d'entrer dans la petite église. Après la messe, le curé dit au gendre :
– Votre belle-mère devait être très appréciée, c'est la première fois que je vois autant d'hommes dans mon église !
– Mon père, ils ne sont pas venus pour l'enterrement. Ils sont venus pour m'acheter la mule !

• Pour la première fois, une belle-mère félicite son gendre :
– C'est délicieux ! Je ne vous savais pas si doué. Où avez-vous trouvé la recette de ce cocktail ?
– Dans un roman d'Agatha Christie…

• Qu'y a-t-il de plus sale qu'une belle-mère dans une poubelle ?
Une belle-mère dans deux poubelles.

• Comment appelle-t-on une truie qui met bas une vache ?
Belle-maman !

• Une jeune femme téléphone à sa mère :
– Il n'est pas encore rentré, il a trois heures de retard ! Je suis sûre qu'il me trompe !
– Cesse de toujours imaginer le pire... Il a peut-être eu un accident ?

• Quelle différence y a-t-il entre une belle-mère et un hippopotame ?
Une dizaine de kilos.

• Un homme achète une vieille lampe dans une brocante.
Une fois chez lui, il commence à l'astiquer lorsque, soudain, un génie en sort...
– Bonjour, je suis le génie de la lampe ! Vous avez le droit de faire deux vœux !
– Deux vœux ? Habituellement, c'est trois...
– Peut-être mais en général, au troisième vœu, vous vous faites toujours avoir, alors...
– D'accord, deux vœux !
– Seulement, il y a une condition... Pour chacun de tes vœux, la personne de ton choix obtiendra le double de ton vœu !
– Je peux choisir qui je veux ?
– Bien entendu ! Dis-moi qui tu choisis et fais ton premier vœu !
– Bon... Alors, je choisis ma belle-mère et mon premier vœu est que mon compte en banque soit crédité de 10 millions d'euros !

– Très bien. Je crédite ton compte de 10 millions d'euros et celui de ta belle-mère de 20 millions. Quel est ton deuxième vœu ?

– Mon deuxième vœu… Ma femme héritera de sa mère, alors… j'aimerais que tu t'en ailles et que tu me laisses ici à demi mort !

• **Un homme arrive au boulot le lundi matin avec des traces de griffures partout sur le visage et les bras.** Les collègues se marrent et lui demandent s'il pense offrir une manucure à sa femme… L'homme reste impassible et leur répond que ce week-end il a enterré sa belle-mère. Ses collègues, désolés, lui demandent alors quel rapport il y a avec toutes ces traces de griffures. Et l'homme leur répond :

– Ben… Le problème, c'est que la belle-mère ne voulait pas que je l'enterre.

• **Deux hommes discutent pendant la pause-café.**

– Ce que j'aime au printemps, c'est que tout sort de terre et que tout renaît.

– Me fais pas peur ! J'ai enterré ma belle-mère hier !

• **Un homme entre dans une pharmacie et demande de l'arsenic.**

– Je n'en ai pas, lui répond la pharmacienne. Vous voulez le générique ?

– Oui.

– Vous avez une ordonnance ?

– Non, mais j'ai apporté la photo de ma belle-mère…

• **Quelle peine un bigame risque-t-il ?**
Deux belles-mères.

• **Que faire si vous roulez sur votre belle-mère ?**
Passez la marche arrière et roulez de nouveau dessus.

• Une belle-mère se plaint auprès de son gendre :

– Vous devriez supprimer le scooter de votre fils, il a manqué de m'écraser à deux reprises !

– Bien, mais attendons encore un peu et laissons-lui une nouvelle chance !

C'est politique !

• **Quelle différence y a-t-il entre Blanche-Neige et Carla Bruni ?**
L'une a épousé le prince, l'autre le nain...

• **D'après un sondage auprès de la population masculine, à la question « aimeriez-vous faire l'amour avec Carla Bruni ? » :**
10 % sont sans opinion ;
5 % ont répondu « non » ;
15 % ont répondu « oui » ;
70 % ont répondu « plus jamais ».

• **Barack Obama, Silvio Berlusconi et Nicolas Sarkozy parlent de cul...**
– Comment appelle-t-on le sexe des femmes aux États-Unis ? demande Berlusconi à Obama.
– On l'appelle « la porte » parce que pour un Américain, les portes sont toujours grandes ouvertes ! Et en Italie, comment dit-on ?
Berlusconi répond :
– On l'appelle « le rideau », car il se lève avant l'acte et se baisse après l'acte. Mais comment l'appelle-t-on en France ?
Et Sarkozy répond :
– On l'appelle « la rumeur » parce qu'on dit qu'il va de bouche en bouche...

• **Nicolas Sarkozy décède et arrive au paradis.** Dieu l'accueille en personne et lui dit :
– Mon fils, viens t'asseoir à ma droite.
Et Nicolas Sarkozy lui répond :
– D'abord, t'apprendras que j'suis pas ton fils. Et puis deuxièmement, qu'est-ce que tu fais assis à ma place ?

• **Pourquoi Bernard Tapie avait-il un chauffeur ?**
Parce qu'on ne peut pas conduire avec des menottes !

• **Nous sommes en 2002...** Dans les couloirs de la Maison-Blanche, George Bush interpelle une secrétaire et lui demande :
– J'ai le choix de tuer des milliers de musulmans ou un informaticien... Que feriez-vous à ma place ?
– Quel informaticien ? Pourquoi un informaticien ? lui demande aussitôt la secrétaire.
George Bush se retourne alors vers le vice-président Dick Cheney et lui dit :
– Vous voyez ! Je suis persuadé que personne ne posera jamais de questions sur les musulmans !

• **Marine Le Pen est élue présidente de la République avec le programme suivant : « Sauvons la planète, ne prenons plus de douche tous les jours !** » Le jour de sa prise de fonction, un journaliste lui demande :
– Madame la présidente, quelle sera votre première mesure pour tenir votre promesse ?
– Eh bien, je vais expulser tous les étrangers !
– Comment ça ? Et votre promesse de sauver la planète ?
– Mais enfin ! répond Marine Le Pen, depuis quand les Français sont-ils propres ? Tout le monde sait que les seuls qui prennent des douches tous les jours, ce sont les étrangers !

• **Le Premier ministre va voir Nicolas Sarkozy et lui annonce :**
– J'ai de très bonnes nouvelles !
– Ah, enfin ! Je t'écoute !
– Nous allons obtenir une augmentation de 20 % sur nos placements financiers et de 35 % sur les rapports des placements mobiliers !
– Formidable !
– Et ce n'est pas tout ! Si nous réinvestissons 10 % des plus-values sur les ventes de nos produits financiers, nous pouvons ne plus avoir d'impôts à payer !
– Extraordinaire ! Si avec ça je ne suis pas réélu... Je cours l'annoncer aux Français !

– Nicolas !
– Oui ?
– J'ai dit « nous »...

• Il a neigé toute la nuit, et alors que le président fait une petite promenade matinale dans les jardins de l'Élysée, il découvre que quelqu'un a écrit un message en pissant dans la neige... « Nicolas a une petite bite ! » Nicolas Sarkozy est furieux ! Il fait venir la police scientifique et exige que le corbeau soit démasqué ! Deux mois plus tard (la police scientifique française n'ayant pas les mêmes moyens que celle de Miami ou Manhattan...), un policier vient rendre son rapport au président...
– Alors ! C'est qui ? demande Nicolas Sarkozy.
– L'analyse d'urine est formelle : il s'agit de l'ADN de Dominique de Villepin. Mais...
– Ah, le salaud ! Je vais le pendre à un croc de boucher ! Mais je vous ai coupé, vous vouliez ajouter autre chose...
– Oui, nous avons aussi fait une analyse graphologique. Le résultat ne laisse lui aussi aucun doute : il s'agit de l'écriture de votre femme...

• Comment s'appelle la maladie où on gesticule tout le temps et où on raconte n'importe quoi ?
La politique !

• Jean Sarkozy vient de passer l'oral de son DEUG de droit. Son père lui demande :
– Alors, ça s'est bien passé ?
– Oui, parfaitement bien !
– Les questions n'étaient pas trop compliquées ?
– Non, on m'a juste demandé si j'étais bien ton fils...

• Pourquoi Rachida Dati avait-elle été nommée ministre de la Justice ?
Parce qu'il fallait bien qu'une femme s'occupe du parquet !

• Un Français et un Américain parlent de leurs drapeaux respectifs...
– Si nous avons un drapeau tricolore, explique le Français, c'est à cause de nos impôts. Quand on en parle, on voit rouge ; quand on les reçoit, on devient blancs ; et après les avoir payés, nous sommes tout bleus !
– C'est la même chose pour nous ! répond l'Américain. Sauf qu'en plus, nous, on voit des étoiles !

• Les Irakiens manifestent dans la rue et hurlent :
– À bas Obama ! À bas Obama !
Un journaliste demande à l'un d'eux :
– Pourquoi criez-vous « À bas Obama » ?
– Parce que les Américains ont envahi notre pays !
– Mais... le président Obama n'y est pour rien !
– Je sais mais... on ne va quand même pas crier « À babouche ! À babouche ! »

• Le chauffeur de Marine Le Pen grille un feu rouge qu'il n'avait pas vu et écrase par inadvertance un Arabe qui traversait sur le passage piéton... Marine descend de la voiture, fouille l'Arabe, prend son portefeuille et constate qu'il n'y a pas d'argent dedans...
Moralité : on ne peut pas avoir le beurre et l'argent du beurre !

• Ségolène Royal, Nicolas Sarkozy et Jean-Marie Le Pen tombent à l'eau. Ségolène et Nicolas se noient mais pas Jean-Marie. Pourquoi ?
Parce que les ordures flottent.

• Pourquoi Nicolas Sarkozy risque-t-il la noyade ?
À force de couler dans les sondages...

• Pourquoi Nicolas Sarkozy ne prend-il jamais le train ?
Parce que les trains roulent à gauche.

BONJOUR MADAME CARLA BRUNI. QUE PUIS-JE POUR VOUS ?

J'AIMERAIS UNE PAIRE DE CHAUSSURES...

SOUHAITEZ-VOUS ESSAYER UN MODÈLE EN PARTICULIER ?

OUI, UNE PAIRE À TALONS PLATS !

TRÈS BIEN... C'EST POUR ALLER AVEC QUOI ?

AVEC UN PETIT HOMME TRÈS IMPORTANT !

D.Truchi

• **Juste avant le défilé du 14 Juillet, sur les Champs-Élysées, un papi gare son vélo contre un arbre.** Un policier le voit et l'interpelle :
– Monsieur ! Vous ne pouvez pas mettre votre vélo ici, le président de la République va passer !
– Merci, mais ça ne craint rien : j'ai mis l'antivol !

• **Deux hommes politiques se disputent :**
– Cessez cette calomnie et arrêtez de raconter des mensonges à mon sujet !
– Mais c'est vous qui avez commencé !
– Alors dans ce cas, arrêtez de raconter des mensonges sur moi, et j'arrête de dire les vérités vous concernant !

• **Barack Obama meurt et arrive devant saint Pierre...**
– Que faisiez-vous comme métier ? lui demande ce dernier.
– J'étais le président des États-Unis !
– Ah bon ? Et depuis quand les Américains votent-ils pour un président noir ?
– Depuis deux jours...

• **Les habitants d'un petit village des Charentes sont en effervescence :** demain, la présidente du conseil régional du Poitou-Charentes, Mme Ségolène Royal, doit venir visiter la petite école afin de constater que les enseignants sont surchargés de travail et que les classes sont en sureffectif. La maîtresse est ravie de cette visite et fait répéter ses élèves...
– Emma, as-tu prévu quelque chose pour la visite de Ségolène Royal ?
– Oui, maîtresse ! J'ai fait un dessin d'elle en présidente de la République !
– Oh, comme c'est mignon ! Je vais en faire une photocopie... C'est très bien Emma. Et toi, Justine ? Tu as prévu quelque chose ?
– Oui, je vais lui écrire un poème pour lui dire qu'elle fait de plus en plus jeune !
– Tu as raison, elle est de plus en plus belle ! Et toi Kévin ?

– Ben… Moi, j'vais lui dire que j'aime pas le président parce que mon papa il a plus de travail à cause de lui.

– Oui, oh, oui ! Dis lui ça ! Et toi, Toto… Qu'as-tu prévu ?

– Moi, je vais lui dire que, hier, ma chatte, elle a accouché de six petits chats socialistes !

– Merveilleux… Ah, mes enfants ! À vous seuls vous pourriez remonter le moral de tout le corps enseignant ! Vous êtes l'espoir de la France, ne changez surtout pas ! C'est grâce à ses enfants que la France s'en sortira !

Le lendemain, Ségolène Royal débarque dans la petite école, entourée de gardes du corps et d'une nuée de journalistes et de personnalités locales. Une centaine de personnes sont entassées dans la classe…

– Vous voyez, dit Ségolène Royal, dans quelles conditions travaillent nos enfants ? Il sont entassés comme des animaux dans des bétaillères ! Mais moi, je dis « non » ! Il faut que cela change !

Elle s'adresse ensuite à la maîtresse :

– Puis-je vous emprunter un instrument scripteur ?

– Un quoi ? fait l'institutrice.

– Un stylo, que je prenne des notes !

Ségolène remarque ensuite le petit Toto et lui demande :

– Bonjour, comment t'appelles-tu ?

– Je m'appelle Toto, madame !

– Ah ! Ah ! Ah ! Qu'il est drôle ! Et dis-moi, Toto… As-tu quelque chose à me raconter ?

– Oui ! Avant-hier, ma chatte a fait six chats, et il y en a quatre qui sont socialistes !

– Ah ! Ah ! Ah ! Je vous l'avais dit qu'il était drôle ! Mais pourquoi seulement quatre ?

– Ben… Hier, il y en a deux qui ont ouvert les yeux…

• **Que risque-t-on à traiter Nicolas Sarkozy d'andouille ?**
Cinq ans de prison pour divulgation de secret d'État.

• **Barack Obama, Angela Merkel et Nicolas Sarkozy décèdent dans un accident d'avion et arrivent au ciel.** Saint Pierre leur refuse l'accès au paradis et les renvoie aux portes de l'enfer où le diable en personne les accueille...

– Je suis très honoré de recevoir des personnalités aussi prestigieuses que vous. C'est un honneur pour mon établissement ! leur dit-il. Comme à tous les grands de ce monde, je vais vous accorder une faveur : le droit de téléphoner à l'un de vos proches ! Par contre, l'appel est payant...

– *How much* ? demande Barack Obama.

– Pour les États-Unis, répond le diable, première puissance mondiale, c'est 5 millions de dollars !

– Et pour l'Allemagne ? demande Angela Merkel.

– Pour l'Allemagne, l'appel vous coûtera 1 million d'euros.

– Et combien que ça va coûter pour la France ? demande Nicolas Sarkozy.

– Pour la France... ce sera 1,50 euro. D'enfer à enfer, j'applique le tarif local !

• **Nicolas Sarkozy entre dans une boîte de nuit et se dirige vers le bar où trois jeunes prostituées attendent le client.** Il demande à la première :

– Combien que c'est pour passer la nuit avec toi ?

– 300 euros, monsieur le président.

– Très bien. Et avec toi ? demande-t-il à la seconde.

– Moi, je vous fait la nuit à 150 euros, monsieur le président.

– Bien. Très bien. Et toi ? Combien prendrais-tu pour passer la nuit avec moi ? demande-t-il à la troisième.

– Monsieur le président... Si vous pouvez soulever ma jupe aussi haut que sont les impôts, baisser mon string aussi bas que sont les salaires, sortir de votre pantalon un sexe aussi dur qu'est la vie actuellement, le garder toute la nuit aussi fort que sont les prix pour me le mettre de façon aussi douce, délicate et profonde que vous le faites en baisant tous les Français, alors pour vous, monsieur le président, ce sera gratuit !!!

• **Nicolas Sarkozy et Ségolène Royal décèdent et se retrouvent aux portes de l'enfer.** Comme pour toutes les célébrités, c'est le diable en personne qui les accueille...
– Bonjour, madame Royal ! Bonjour, monsieur Sarkozy ! Avant que vous ne rejoigniez les feux de l'enfer, vous allez tous les deux recevoir 100 coups de fouet sur le dos ! Cependant, comme vous êtes des personnalités importantes, je vous accorde un vœu chacun... Honneur aux dames !
Ségolène réfléchit un instant et demande :
– Mon vœu est que vous m'attachiez un oreiller sur le dos !
On fixe donc un oreiller sur le dos de Ségolène qui est ensuite fouettée... Malheureusement, dès le dixième coup de fouet, l'oreiller est détruit et ne permet plus d'amortir les 90 coups de fouets restants... Le dos de Ségolène est en sang... C'est maintenant le tour de Nicolas Sarkozy...
– Monsieur Sarkozy, dit le diable, quel est votre souhait avant de recevoir vos 100 coups de fouet ?
– Ben... Tu n'as qu'à m'attacher Ségolène sur le dos !

• **C'est la fin de l'apartheid, Nelson Mandela est libéré de prison...** Avec son petit baluchon sur le dos, il emprunte seul et à pied la route désertique qui le mène jusque chez lui. Après deux heures de marche en plein soleil, Nelson Mandela arrive enfin à un arrêt de bus. Il s'assoit sur son baluchon et attend... Une heure, deux heures, toujours pas de bus... Mandela est soudainement pris d'une envie très pressante de faire caca. Plutôt que de s'éloigner de la route pour aller se soulager derrière des buissons et de risquer que le bus passe pendant ce temps sans le voir, Mandela décide de faire à côté de l'arrêt de bus... Et heureusement, car à peine a-t-il le temps de faire et de remonter son pantalon que le bus arrive ! Les portes s'ouvrent, Nelson Mandela monte dans le bus, paye son billet et part s'asseoir. À ce moment-là, le chauffeur blanc l'interpelle et, tout en lui désignant la merde sur la route, lui demande :
– Et le petit Noir, il monte pas ?

• **Jésus revient sur terre.** Parmi la foule qui l'acclame, il voit une femme qui pleure...
– Pourquoi pleures-tu ?
– Je pleure parce que je suis aveugle et que je ne peux pas vous voir.
– Comment t'appelles-tu ?
– Pauline.
– Pauline, ouvre les yeux et vois !
Alors Pauline recouvre la vue... Plus loin, il voit un enfant pleurer.
– Pourquoi pleures-tu ? lui demande Jésus.
Sa mère répond à sa place :
– Il pleure parce qu'il est muet et qu'il ne peut pas parler.
– Comment s'appelle-t-il ?
– Antoine.
– Antoine, ouvre la bouche et parle !
Et Antoine retrouve la parole... Encore un peu plus loin, Jésus remarque un homme assis qui pleure.
– Pourquoi pleures-tu ? lui demande-t-il.
– Je pleure parce que je n'entends pas. Les gens me disent des choses et je fais comme si je ne les entendais pas.
– Comment t'appelles-tu ?
– Nicolas.
– Nicolas...
– Nicolas Sarkozy.
Alors Jésus s'assoit à ses côtés et se met à pleurer avec lui.

• **Nicolas Sarkozy et Barack Obama sont dans un avion qui tourne autour de la Terre pendant que les deux hommes parlent politique.** Pour détendre l'atmosphère, Nicolas Sarkozy sort sa main par le hublot et dit à Barack :
– Là, tu vois, nous sommes au-dessus de Paris !
– Et comment peux-tu savoir ça ? lui demande Barack Obama.
– Parce qu'en passant ma main par le hublot, j'ai touché la pointe de la tour Eiffel !

Quelques heures plus tard, Barack Obama passe à son tour sa main par le hublot et dit :
– Là, nous sommes au-dessus de New York !
– Et comment tu le sais ? lui demande Nicolas Sarkozy.
– Parce que depuis tout à l'heure, l'avion a pris beaucoup d'altitude et que je viens de toucher la pointe de l'Empire State Building !
Quelques heures plus tard, Nicolas Sarkozy passe de nouveau sa main par le hublot et dit :
– Là, nous survolons le Maroc !
– Ah ? Et comment peux-tu savoir cela ? demande Barack Obama.
– Ben... J'ai laissé ma main par le hublot quelques secondes à peine, et on m'a déjà volé ma Rolex !

• **Nicolas Sarkozy s'interroge sur l'amour que lui porte Carla Bruni...**
– Dis-moi, Carlita... Pourquoi m'avoir choisi, moi ?
– Parce que, mon chou, j'avais envie d'être sexuellement comblée...
– Tu veux dire que... que...
– Oui, quand nous nous sommes rencontrés, j'étais encore vierge !
– Ah bon ? Pourtant, on te prête de nombreuses liaisons avant moi !
– Oui mais... Ils travaillaient tous dans une entreprise !
Le premier homme que j'ai connu était un responsable des ventes. Il me disait toujours : « Tu verras, tu verras, ça va décoller ! » J'ai attendu, attendu, et suis toujours restée clouée au sol... Le deuxième homme dirigeait le service après-vente. Il me disait toujours : « Je vais regarder comment ça fonctionne. Je jette un coup d'œil et je te rappelle pour te tenir au courant ! » J'ai attendu, attendu, et jamais rien n'est venu... Ma troisième conquête était responsable du service informatique. Lui, il a diagnostiqué que j'étais bien encore vierge et que je n'avais pas besoin d'être reboostée. Je l'ai quitté pour le responsable qualité de la même société...

Ce dernier a passé son temps à me regarder et à m'observer sur toutes les coutures, toujours à la recherche d'un éventuel petit défaut ! Ensuite, mon cinquième homme était directeur du marketing. Pour lui, j'étais un super produit, mais il n'a jamais su comment me positionner ! Ensuite, je suis sortie avec un type qui était responsable du service production. Il se demandait toujours si c'était bien à lui de faire le travail... Totalement déprimée, je suis même sortie avec un ouvrier ! Toujours en grève... Alors, j'ai décidé de me reprendre en main et de tout faire pour sortir avec un homme politique. Et là, j'ai eu beaucoup de chance, car je t'ai rencontré, toi, le président de la République !
– C'est gentil pour moi, Carlita, mais pourquoi un président de la république ?
– Parce que là... j'étais sûre de me faire baiser !

• **Quel point commun y a-t-il entre les politiciens et les bébés ?**
Ils nous mettent dans la merde et il faut en changer souvent !

• **Dominique Strauss-Kahn qui était le candidat du Parti socialiste à l'élection présidentielle de 2012 vient de décéder.** Tous les éléphants du PS sont réunis à ses obsèques. Alors que l'on descend le cercueil dans la fosse, Ségolène Royal susurre à l'oreille de Martine Aubry :
– Maintenant, penses-tu que je puisse prendre la place de Dominique ?
Et Martine Aubry lui répond :
– Oui, mais dépêche-toi, les fossoyeurs ont presque terminé.

Cocus & Co.

• **Un homme a toujours refusé de faire l'amour à sa femme autrement que dans le noir le plus total.** Après une quinzaine d'années de mariage, sa femme ne supportant plus cela allume soudainement la lumière alors que son mari est sur elle. Et là, surprise, elle constate que son mari a un sex-toy attaché à la place du sexe !
– Quoi !!! Ça veut dire que pendant toutes ces années, tu m'as fait l'amour avec ça ?
– Je… Oui… Pardon…
– Salaud ! Gros con ! Espèce d'impuissant ! C'est ça, hein ? T'es qu'un impuissant ?
– Oui… Je…
– Salaud ! Salaud !
Le mari finit par se rebeller :
– Et toi, grosse salope, tu veux m'expliquer comment on a eu trois enfants ?

• **Un homme qui accuse sa femme d'adultère demande le divorce.** Devant le juge, la femme nie tout en bloc et passe pour une épouse modèle, fidèle, aimante, abusée par un mari machiavélique, fourbe et perfide, dont l'unique but est d'obtenir la garde des enfants. L'avocat du mari prend la parole et interroge la femme :
– Madame, est-il vrai que le 8 août 2009, à 16 heures, on vous a surprise face au 17, rue des Mimosas en train de faire l'amour, sur une moto, avec deux nains du cirque Pinder ? La jeune femme semble un instant désarçonnée par ces révélations. Elle tente de reprendre ses esprits et répond :
– À quelle date dites-vous ?

• **Un comptable quitte le foyer conjugal en laissant une lettre à sa femme :** « Je te quitte pour ma secrétaire. J'ai 60 ans, elle en a 18. Quand tu liras cette lettre, nous serons à l'hôtel Continental en train de faire l'amour ! »
Le lendemain matin, à l'hôtel Continental, l'homme d'étage frappe à la porte du mari pour lui remettre un courrier. Il l'ouvre et lit : « Je te quitte pour mon prof de tennis. J'ai

60 ans, il en a 18. Au moment où tu liras cette lettre, en tant que comptable, tu comprendras que 18 rentre plus facilement dans 60 que 60 dans 18. »

• **Un petit garçon regarde sa mère prendre sa douche et lui demande en désignant son entrejambe :**
– C'est quoi, ça ?
– Ça, c'est le paradis, répond sa mère.
Un peu plus tard, le petit garçon regarde son père prendre sa douche.
– C'est quoi, ça ? demande-t-il en désignant son sexe.
– Ça, c'est la clef du paradis !
Et le petit dit alors, tout affolé :
– Papa ! Le voisin, il a un passe !

• **Une femme surprend son mari au lit avec une jeune femme...**
– Salaud ! hurle-t-elle.
– Attends, chérie ! Je vais t'expliquer ! répond le mari.
– Tu as intérêt à me fournir une bonne explication !
– Eh bien... En rentrant, cette fille faisait du stop au bord de la route. Il pleuvait, j'ai eu pitié d'elle, et je l'ai invitée à monter dans la voiture. Je lui ai demandé où elle allait et elle m'a répondu : « Nulle part, je n'ai pas de maison. » Alors, je l'ai invitée à prendre un café pour se réchauffer. Après, comme elle était mal habillée, je lui ai proposé de prendre des vêtements que tu ne mets plus. Et puis aussi une de tes paires de chaussures... Enfin, alors qu'elle partait, elle s'est retournée et elle m'a demandé : « Y a-t-il autre chose dont votre femme ne se sert plus ? »

• **Un femme annonce à une amie :**
– Hier, j'ai vu ton mari se rendre à la plage avec une jolie fille pendue à son bras...
– Et alors ? Tu ne crois pas qu'à son âge il va y aller avec un seau et une pelle ?

• **Un propriétaire de chevaux surprend sa femme en train de faire l'amour avec un jockey dans un box...** Le cocu empoigne le jockey et le met dehors en hurlant :
– C'est la dernière fois que tu montes pour moi !

• **Un homme se confie à un copain...**
– Tu sais... J'ai appris que ma femme faisait le bonheur de plusieurs hommes...
– Ne sois pas triste pour ça. Tu sais, la mienne fait le malheur d'un seul !

• **Dans le compartiment d'un train, un enfant qui voyage seul pleure toutes les larmes de son corps.** Un homme lui demande :
– Pourquoi pleures-tu, mon garçon ?
– Je... Je pleure parce que maman, elle... elle a un amant !
– Oh... Tu sais, ce sont malheureusement des choses qui arrivent. Et je peux t'avouer, si cela peut te consoler un peu, que ma mère aussi avait un amant.
Un autre homme prend la parole :
– Oui, cela arrive même très souvent : ma mère a eu plusieurs amants !
Le petit continue de pleurer et un troisième homme déclare :
– Écoute-moi, petit. Tu vois, moi, non seulement ma mère avait un amant, mais je suis le fruit de cette relation adultérine. Mon père n'est pas mon vrai père, et pourtant, cela ne m'empêche pas d'être heureux !
L'enfant semble être consolé. De sa poche, il sort une cigarette, la porte à sa bouche et demande :
– Dites-moi... Parmi tous ces fils de putes, il n'y en a pas un qui aurait du feu ?

• **Un petit garçon demande à sa mère :**
– Est-ce que la baby-sitter est un ange ?
– En quelque sorte, oui, c'est vrai qu'elle est très gentille avec toi...
– Et un ange, ça a des ailes ?

– Oui, mais pourquoi me demandes-tu tout ça ?
– Parce que j'ai entendu papa l'appeler « mon ange ». Tu crois qu'elle va s'envoler ?
– Oh que oui !!!

• **Un couple de jeunes mariés rejoint la chambre de sa nuit de noces.** Le marié dit à sa femme :
– Souviens-toi bien de ce que je t'ai toujours dit : je suis jaloux sans raison !
– Je sais, je sais... Et je t'ai toujours répondu que ça n'arrivera jamais !
– Et comment peux-tu en être aussi certaine ?
– Parce qu'avec moi... tu auras toujours de bonnes raisons d'être jaloux !

• **Un homme raconte à un copain :**
– Hier soir, quand je suis rentré chez moi, j'ai surpris ma femme au lit avec un Chinois ! Tu imagines ça !
– Mal, mais... Qu'est-ce que tu as dis ?
– Que veux-tu que je dise... Je ne parle pas un mot de chinois !

• **Alors qu'un couple dîne dans un grand restaurant, une jeune et très jolie femme entre, s'avance jusqu'à sa table, et embrasse passionnément l'homme...** Puis elle repart en disant :
– On se voit demain, mon minou ?
Stupéfaite, l'épouse dit à son mari :
– Dis-moi que je rêve ! Qui... Qui est cette petite traînée ? Donne-moi vite une bonne explication !
– Je n'ai pas d'explication à te donner : c'est ma maîtresse et puis c'est tout.
– Quoi ! Tu as de la chance que nous soyons dans un restaurant et que je sache me tenir. Autrement, je te casserais tout sur la tête ! Mais sache dès à présent que je demande le divorce !

– Comme tu veux... Mais si nous divorçons, fini la carte Gold avec crédit illimité, les emplettes dans les boutiques de luxe, les vacances d'hiver au soleil ou le ski à Courchevel, la maison à Saint-Barthélemy, les balades en bateau, les belles voitures...

À ce moment, un couple entre dans le restaurant et la femme reconnaît un de leurs amis avec, à son bras, une femme qu'elle ne connaît pas...

– Qui est cette femme pendue au bras de Jean-François ? demande-t-elle à son mari.

– C'est sa maîtresse.

– Ah ? La nôtre est plus jolie...

• **Un couple et son fils sont à table.** Tout en mangeant, ils regardent un film à la télé et sont surpris par l'arrivée soudaine d'une scène érotique... La mère hurle pour que le père zappe, mais il est trop tard lorsque le père trouve enfin la télécommande. À la fin du repas, la mère glisse à l'oreille du père :

– En l'accompagnant au lit, ce soir, tu devrais lui expliquer comment on... Enfin, tu vois ce que je veux dire... Les abeilles, les petits oiseaux, les lapins... Toutes ces choses, quoi !

Un peu plus tard, le père accompagne son fils jusqu'à sa chambre et lui dit :

– Tu te souviens quand je t'ai amené aux putes avec moi l'année dernière ?

– Oui, papa !

– Eh bien... Ta mère te fait dire que pour les abeilles, les petits oiseaux, les lapins, c'est pareil !

• **Un enfant se plaint auprès de sa mère...**

– Maman ! Dans le bus, ce matin, papa m'a dit de laisser ma place à une dame !

– Il a raison ! Les enfants doivent laisser leur place aux personnes âgées !

– Mais elle n'était pas vieille ! Et en plus, j'étais assis sur les genoux de papa !

• **Un homme invite un collègue de travail à venir chez lui.**
– Je sais que tu n'as pas le moral en ce moment. Viens boire un coup à la maison, ce soir !
– Oh ! boire... toujours boire...
– Ensuite on fera un bon gueuleton !
– Oh ! manger... toujours manger...
– Et puis je crois que tu ne connais pas ma femme ?
– Oh ! baiser... toujours baiser...

• **Une femme téléphone à une amie pour lui faire part de ses inquiétudes...**
– Mon mari est malade, je dois le surveiller jour et nuit !
– Pourquoi ne demandes-tu pas à une infirmière de venir ?
– Justement, il a une infirmière...

• **Un homme rentre chez lui à l'improviste et surprend sa femme au lit avec le facteur.** Dépité, il repart noyer son chagrin dans un bar et se confie au barman...
– Je suis dégoûté...
– Qu'avez-vous ?
– Ma femme est blonde !
– Je suis navré, monsieur...
– Elle est blonde, mais je ne pensais pas qu'elle était conne à ce point !
– Et pourquoi ?
– Je suis couvert de dettes. Alors, j'avais suggéré à ma femme que si elle était « gentille » avec mes créanciers, cela pourrait peut-être permettre de payer certaines dettes...
– Ah... Et alors ?
– Eh ben... Au lieu de coucher avec ceux qui nous adressent leurs factures, elle a couché avec celui qui nous les apporte !

• **Un mari rentre chez lui à l'improviste.** Sa femme qui est au lit avec son amant l'entend ouvrir la porte d'entrée...
– Je vais me cacher dans l'armoire ! dit l'amant en paniquant.
– Mais il n'y en a pas ! répond la femme affolée.
– Sous le lit ?
– Le matelas est au sol ! J'ai une idée : tu restes debout, sans bouger, sans rien dire, je m'occupe de tout !
L'amant se fige telle une statue alors que le mari pénètre dans la chambre...
– Qu'est-ce qu'il fout là, celui-là ! hurle le mari en désignant l'amant du doigt.
– Ne t'emballe pas, chéri ! Il ne faut pas te fier aux apparences ! Des copines sont venues faire une réunion de ventes de sex-toys. C'est comme pour les réunions Tuperware, tu sais... Il s'agit du tout dernier modèle de sex-toy sorti ! Plus vrai que nature, n'est-ce pas ? Comme j'ai accueilli la réunion à la maison, j'ai gagné le droit de garder ce robot-sex-toy pendant quelques jours. Je ne pouvais pas refuser, je les aurais vexées...
– Ah ? fait le mari en tournant autour de l'amant/robot. Plutôt bien fait... Très impressionnant même ! Mais... si tu as tant envie de sexe que ça, allonge-toi, je vais te satisfaire ! Toutes ces histoires, moi, ça m'existe !
– Je suis désolée, chéri, mais je n'en ai pas très envie et je m'apprêtais à prendre une douche...
Alors que la femme se retire dans la salle de bain, le mari excité baisse son pantalon et se positionne derrière l'amant/robot avec l'intention de le sodomiser. À ce moment-là, l'amant imite une voix métallique pour dire :
– « Erreur système – Emplacement clé USB – Vérifiez votre clé. »
– Saleté de robot ! Puisque tu ne me sers à rien, il n'y a pas de raison que tu serves à ma femme !
Le mari s'empare d'un couteau et, alors qu'il s'apprête à couper le sexe de l'amant, ce dernier dit :
– « Système réinitialisé – Veuillez réessayer. »

• **Une femme qui souhaite demander le divorce consulte un avocat.**
– Je veux divorcer, mais je veux avoir la garde exclusive des enfants ! explique-t-elle.
– Pour cela, répond l'avocat, il faut invoquer une bonne raison... Votre mari a-t-il un penchant pour l'alcool ?
– C'est un alcoolique...
– Ah !
– ... mais je bois plus que lui.
– Bon... Est-ce qu'il lui arrive de vous frapper ?
– Ça non ! C'est moi qui le dérouille !
– Bon... Est-il infidèle ?
– Ah ! Très bonne idée, maître ! Je crois que nous allons gagner. Figurez-vous que nos enfants ne sont même pas de lui !

• **Un ami rencontre un autre ami dans la rue...**
– Tiens ? Tu portes des lunettes maintenant ?
– Oui...
– Et depuis quand ?
– Depuis la semaine dernière.
– Comment t'es-tu aperçu que ta vue baissait ?
– Je suis allé en boîte de nuit, j'ai rencontré une jolie fille et je l'ai amenée à l'hôtel...
– Et alors ?
– Alors... c'était ma femme !

• **Un petit garçon se rend au jardin public avec son père.**
Sur place, ils rencontrent leur voisine de palier qui a amené sa petite fille s'amuser au jardin. Le petit garçon et la petite fille se mettent à jouer ensemble et, pendant qu'ils sont occupés, le papa et la voisine en profitent pour s'éclipser dans les toilettes publiques. Mais le petit garçon les remarque, les suit, puis observe tout par un petit trou dans la porte...
Le soir, le petit garçon va voir sa mère dans la cuisine et commence à tout lui raconter...

– Maman ! Papa, il est allé dans les toilettes avec la voisine ! J'ai tout vu par le petit trou qu'y avait dans la porte ! Il a baissé son pantalon, elle s'est mise à genoux, elle a pris son zizi et...

– Stop ! Surtout ne m'en dis pas plus ! Tu raconteras ta jolie histoire à table, lorsque ton père sera revenu. Je tiens absolument à voir la tête qu'il fera !

Au moment du repas, la mère demande à son fils :

– Tu n'avais pas une histoire à nous raconter ?

– Si ! Cet après-midi, je suis allé au parc avec papa ! Il est allé dans les toilettes avec la voisine, il a baissé son pantalon, elle s'est mise à genoux, elle a pris son zizi et... elle a fait comme toi tu faisais, maman, avec tonton Yvan quand papa partait en voyage !

• **Un homme entre dans une pharmacie et demande :**

– Auriez-vous des pilules contre le bronzage ?

– Vous voulez dire des pilules pour bronzer ?

– Non, contre le bronzage ! Je dois me rendre à Lille.

– Cela m'étonnerait que vous attrapiez des coups de soleil à Lille !

– Disons que j'ai dit à ma femme que j'allais à Lille pour mon travail, alors qu'en réalité, je vais à Nice passer un week-end à la plage avec ma maîtresse.

Chuck Norris

- Dieu a créé le dimanche pour diffuser *Walker Texas Ranger*.

- Google, c'est le seul endroit où tu peux taper Chuck Norris.

- Chuck Norris donne fréquemment du sang à la Croix-Rouge. Mais jamais le sien...

- Chuck Norris et Superman ont fait un bras de fer. Le perdant devait mettre son slip par-dessus son pantalon...

- Chuck Norris peut gagner une partie de puissance 4 en trois coups.

- Le dernier homme à avoir serré la main à Chuck, c'est Jamel Debouzze.

- Chuck Norris est la raison pour laquelle Charlie se cache.

- Chuck Norris parvient à faire des tacles au baby-foot.

- À l'école, c'est le professeur qui devait lever la main pour parler à Chuck Norris.

- Chuck Norris a fini son forfait illimité.

- Avant de rencontrer Chuck Norris, Mika avait la voix de Barry White.

- Chuck Norris peut écouter un CD de Diam's.

- Chuck Norris s'est déjà évadé de Fox River avec un tatouage Malabar.

- Quand Chuck Norris marche sur un râteau, le râteau se prend Chuck Norris dans la gueule.

- Selon certains témoignages, il y aurait un spermatozoïde de Chuck Norris dans un lac écossais...

- Avoir la tête dans le cul, c'est possible avec Chuck Norris.

- Chuck Norris a été prof de maths, et a trouvé le théorème suivant : « Un poing est l'intersection de deux droites dans ta gueule. »

- Rien n'arrive à la cheville de Chuck Norris. Sauf son sexe.

- Le cavalier sans tête est le seul imbécile à avoir voulu jouer à « Je te tiens, tu me tiens par la barbichette » avec Chuck Norris.

- Fumer réduit vos chances d'être tué par Chuck Norris.

- Personne ne sait si Chuck Norris est mauvais perdant.

- Chuck Norris peut se lécher la nuque. Ça ne sert à rien mais il le peut.

- Chuck Norris ne sait pas à quoi ressemble Nicolas Sarkozy. Chuck Norris ne baisse jamais les yeux.

- Lorsque Chuck Norris n'arrive pas à dormir, les moutons lui disent combien ils sont.

- Si des gens ont une dent contre Chuck Norris, c'est parce qu'ils n'en ont plus d'autres.

- Quand Chuck Norris dit qu'il « va jeter un œil », il ne parle pas du sien !

- Le pitbull de Chuck Norris a mis une pancarte devant sa maison avec cette inscription : « Attention : Chuck Norris ! »

- Chuck Norris reçoit des spams lui proposant de réduire la taille de son sexe.

- Il existe deux mains qui battent la Quinte Flush Royale : la main droite de Chuck Norris… et la main gauche de Chuck Norris.

- Chuck Norris n'a pas été conçu in vitro, on n'entube pas Chuck Norris.

- Chuck Norris a toujours gardé un cœur d'enfant… dans un bocal, sur son armoire.

- Quand Chuck Norris ne répond pas correctement à une énigme du Père Fouras, c'est le Père Fouras qui plonge pour aller chercher la clef.

- Quand il a vu Chuck Norris, le colonel Moutarde s'est suicidé dans la cuisine, avec le chandelier.

- Les gilets pare-balles sont faits en peau de Chuck Norris.

- Chuck Norris peut faire rentrer 3 litres d'eau dans une bouteille d'un litre. En tassant bien.

- Le chauffeur de Lady Di n'avait pas vu que Chuck Norris traversait.

- On enseigne aux enfants que l'emploi du plus-que-parfait est uniquement réservé à Chuck Norris.

- C'est Chuck Norris qui a fait une tête au carré à Bob l'Éponge.

- Quand Chuck Norris mange une orange, il n'enlève pas la peau. Chuck Norris ne fait pas de quartier.

- Chuck Norris arrive à faire des bulles avec un Carambar.

• Wall Street est la troisième Bourse au monde. Les deux premières sont à Chuck Norris.

• Quand Spiderman croise Chuck Norris, il se tisse dessus.

• Chuck Norris n'a jamais vu ses pieds. Chuck Norris ne baisse jamais les yeux.

• Chuck Norris a battu Kasparov en un coup : un coup de boule...

• Si vous tentez de faire de l'ombre à Chuck Norris, le soleil change de côté.

• Chuck Norris est aussi surnommé WinRar : il peut compresser tout ce qui le fait chier !

• Si le Dr House boite, c'est parce qu'il a tenté de faire un toucher rectal à Chuck Norris.

• C'est Chuck Norris qui a décidé que toute phrase se terminait par un poing.

• Chuck Norris sait employer le mot « fur » ailleurs que dans « au fur et à mesure ».

• Chuck Norris peut claquer une porte d'ascenseur.

• Les experts de Miami ont trouvé plus de 100 000 ADN différents sur la semelle de la chaussure droite de Chuck Norris.

• Chuck Norris a les yeux de son père. Ils sont soigneusement rangés dans une boîte.

• Il n'y a pas que la vérité qui blesse. Il y a aussi Chuck Norris.

- Chuck Norris peut tuer une limace en lui brisant la nuque.

- Chuck Norris met les pieds où il veut. Et c'est surtout dans la gueule.

- Si Mickey a quatre doigts et de grandes oreilles, c'est parce qu'il a fait un doigt d'honneur à Chuck Norris.

- Quand Chuck Norris dit « ta gueule », c'est pour te dire l'endroit où il va frapper...

- Chuck Norris peut claquer des doigts de pied.

- Quand Chuck Norris mange un Petit Écolier, il recrache le cartable et les chaussures.

- Chuck Norris comprend les tactiques de Raymond Domenech.

- Chuck Norris est célibataire. Quand il tape dans l'œil d'une fille, elle ne survit pas.

- Chuck Norris ne fait jamais de faute de frappe.

- Si Chuck Norris t'a éclaté la gueule, c'est qu'il avait une bonne raison de le faire !

- Quand Chuck Norris conjugue le verbe « pouvoir » au passé simple, les autres ne rigolent pas.

- Marge Simpson a la voix enrouée depuis sa nuit avec Chuck Norris.

- Chuck Norris fait trembler Parkinson.

- On ne demande pas un coup de main à Chuck Norris. On le reçoit.

• La position « Chuck Norris » a été retirée du *Kama-sutra*, elle faisait trop de morts.

• Quand Chuck Norris couche avec une femme mariée, c'est le mari qui se cache dans le placard.

Zanimots

• **Que se demande un éléphant après avoir vu un homme nu ?**
Mais comment fait-il pour boire ?

• **Un type surprend un copain en train de jouer aux échecs avec son chien...**
– Hein !? Ne me dis pas que ton chien sait jouer aux échecs ?
– Si...
– Mais il est super intelligent !
– Pas tant que ça, je mène quatre parties à deux !

• **Au comptoir d'un bar, un type se vante :**
– Moi, je peux soulever un éléphant avec une seule main !
– Ah bon ?
– Ouais ! Mais le plus dur, c'est de trouver un éléphant qui n'a qu'une seule main...

• **Un chasseur dit à un autre :**
– Mon père m'a toujours dit qu'il fallait se méfier des ours...
– Ah ? Ton père était chasseur lui aussi ?
– Non, zoophile...

• **À la tombée de la nuit, un ver luisant rencontre une jolie limace...**
– Tu es belle... J'aimerais t'embrasser !
La limace rougit et lui répond :
– D'accord, mais éteins la lumière !

• **Deux homos se promènent lorsqu'au coin d'une rue, ils rencontrent un chien en train de se lécher les roubignolles...** L'un des deux homos soupire et dit :
– Pfff... Qu'est-ce que j'aimerais en faire autant !
Et l'autre lui répond :
– Rien ne t'en empêche, mais caresse-le avant, il est peut-être méchant !

• **Madame Écureuil veut récompenser ses deux petits, Mecasse et Mérite, car ils ont été très sages.** Elle décide de leur offrir des gourmandises : Mérite des châtaignes, Mecasse les noix !

• **Une vache broute l'herbe d'un pré.** Ne la trouvant pas assez grasse à son goût, elle se rend dans le pré voisin, à l'entrée duquel un panneau indique : « Interdit aux vaches ! » La vache entre quand même dans le pré et dit :
– Heureusement que je ne sais pas lire !

• **Un ours noir suit un ours blanc lui-même suivi par un ours noir suivi d'un ours blanc...**
Moralité : les ours se suivent mais ne se ressemblent pas !

• **Un facteur s'apprête à pénétrer dans une propriété lorsqu'il aperçoit, couché sur le perron de la porte, un très gros chien qui grogne...** Le facteur se ravise et sonne à l'interphone.
– Oui ? Qui c'est ? demande une voix féminine.
– C'est le facteur ! J'ai un colis à livrer, il faudrait que vous signiez...
– Très bien, je vous ouvre.
– Heu... Et le chien ? s'inquiète le facteur.
– Entrez, vous ne craignez rien du tout ! répond la femme.
Le facteur entre donc dans le jardin et se dirige vers le perron de la maison. Le chien grogne de plus en plus et se lève... À ce moment, la femme ouvre la porte d'entrée et le facteur, qui voit le chien courir vers lui en montrant les dents, demande :
– Il ne mord pas ?
Et la femme lui répond :
– Si, mais vous ne craignez rien, il est vacciné contre la rage !

• **Une chèvre rencontre une autre chèvre...**
– Salut, il y a longtemps que nous nous sommes pas vues ! Tu peux venir à la maison demain ?
– Demain... Non, je peux pas, c'est le jour où je bouquine.

• **Pourquoi un éléphant ne passe-t-il pas à travers le chas d'une aiguille ?**
Parce qu'un plaisantin a fait un nœud à sa queue !

• **Un lion affamé dévore une antilope.** Pendant ce temps, du haut de son arbre, un singe apeuré l'observe. Le lion termine son festin et remarque le petit singe…
– Que fais-tu perché là-haut à trembler comme une feuille ! lui demande le lion.
– Je… J'ai peur de… de toi… balbutie le petit singe.
– Ah ! Ah ! Ah ! Tu peux descendre, je suis repu !
– Non… J'ai peur que… que tu me manges.
– Mais enfin voyons ! Je te dis que tu peux me faire confiance, je n'ai plus faim ! Regarde : je me mets une muselière !
Le petit singe descend alors jusqu'au pied de l'arbre.
– Approche, maintenant ! dit le lion.
– Non, tu… tu peux encore m'attraper avec tes griffes.
– Bon ! Je me couche et je m'attache avec ces menottes… Voilà ! Ça te va comme ça ? Tu n'as plus peur ?
Le petit singe s'approche alors timidement du lion. Il tremble de tous ses membres et ne peut retenir quelques sanglots.
– Mais enfin ! Tu as encore peur ? demande le lion muselé et attaché.
– Non, répond le singe. C'est… c'est l'émotion de la première fois.
– La première fois que quoi ?
– La… la première fois que je vais manger du lion.

• **Dans une vente aux enchères, un homme tente d'acheter un perroquet.** La mise à prix est à 30 euros. L'homme lance les enchères, mais il semble qu'il ne soit pas le seul à vouloir acquérir le beau volatile…
– 40 !
– 70 !
– 100 !
– 400 !

Les enchères ne cessent de grimper...
– 700 !
– 1 000 !
– 1 500 !
– 2 000 !
– Adjugé, vendu pour 2 000 euros à monsieur !
L'homme remporte finalement la vente et se présente au commissaire-priseur à qui il avoue :
– Dans l'excitation de vouloir acquérir ce perroquet, je me suis un peu laissé emporter... Je ne pensais pas dépenser une telle fortune pour l'acheter... J'espère au moins que pour ce prix-là il parle !
Le commissaire-priseur lui répond :
– Et d'après vous, qui a fait monter les enchères comme ça ?

• **Accoudé au comptoir, un cheval est en train de boire un grand verre de lait dans un bar.** Une vache entre et, surpris, le cheval dit :
– Depuis quand les livreurs passent-ils par l'entrée principale ?

• **Un homme qui cherche à vendre son chien dresse de lui un portrait plutôt flatteur :**
– Il est exceptionnel, mon chien ! Vous savez que, tous les matins, il m'apporte mon journal ?
– C'est bien mais... cela n'a rien d'exceptionnel, vous savez ! répond l'éventuel acquéreur.
– Comment ça ! Je ne suis même pas abonné !

• **Trois petites souris blanches de laboratoire parlent de leurs expériences.**
– Moi, dit la première, je parviens à sortir de n'importe quel labyrinthe !
– Rien de comparable avec ce que je réalise, ajoute la seconde. Je parviens à allumer une ampoule en faisant tourner une roue ! Je suis parvenue à la conclusion suivante : l'intensité de la lumière est proportionnelle à la vitesse de ma course !

– Mon expérience dépasse les vôtres, dit la troisième. Je travaille sur les réflexes conditionnés : chaque fois que j'actionne une petite cloche, un chercheur vient me donner à manger !

• **Une puce vient de gagner le gros lot de l'Euromillion.**
– Que vas-tu t'offrir avec tout cet argent ? lui demande une copine.
– Je n'y ai pas encore bien réfléchi, mais… je crois que je vais commencer par m'acheter un très gros chien !

• **Un chien passe le concours de chien policier.**
L'examinateur lui demande :
– Servez-vous de cet ordinateur et faites un courrier de deux pages pour exprimer quelles sont vos motivations.
Et le chien rédige son courrier sur l'ordinateur…
– Maintenant, vous allez faire un parcours d'obstacles. Attention, lisez bien tous les panneaux placés le long du parcours. Ce sont eux qui vous donneront tous les indices nécessaires pour pouvoir le terminer.
Et le chien réalise le parcours sans problème…
– Et enfin, troisième et dernière épreuve : vous devez être bilingue et converser avec moi dans une autre langue. Je vous écoute !
– Miaouuuuuu ?

• **Deux petits oiseaux sont accrochés par les pattes sur la branche de leur perchoir.** Près d'eux, un feu de bois crépite pendant qu'un chat se met une serviette autour du cou. Un des deux oiseaux dit à l'autre :
– Plus j'y pense, et plus je trouve ça louche son histoire de perchoir chauffant…

• **Un boucher voit entrer dans sa boutique un chien avec un portefeuille et un bout de papier dans la gueule.** Le boucher contourne son comptoir et s'empare du bout de papier pour le lire… Il s'agit en fait d'une liste de courses que

le chien doit rapporter à son maître ! Le boucher s'apprête
à lui couper des tranches de jambon, mais le maître a omis
d'indiquer le nombre…
– Sais-tu combien il faut de tranches ? demande-t-il au chien.
– Ouaf ! Ouaf ! Ouaf ! Ouaf !
– Quatre tranches ?
– Ouaf !
Et le boucher coupe quatre tranches. Il voit ensuite inscrit sur
la lite « 2 côtes ».
– Ton maître souhaite-t-il deux côtes de bœuf ?
– Ouaf ! Ouaf !
– Deux côtes d'agneau ?
– Ouaf ! Ouaf !
– Deux côtes de porc ?
– Ouaf !
Et c'est ainsi que le boucher apprend à parler avec le chien.
Pendant qu'il termine de préparer la commande, le chien
sort du portefeuille un billet qu'il tend à la caissière. Le chien
repart ensuite faire le reste des commissions chez les autres
commerçants en tenant dans sa gueule le sac de courses, le
portefeuille, sa liste, et communique en aboyant une fois pour
dire « oui » et deux fois pour « non ». Deux mois passent, et
désormais, tous les commerçants du quartier connaissent le
chien. Il est devenu leur mascotte et c'est toujours avec un
immense plaisir qu'ils l'accueillent et le servent devant le
regard amusé des clients. Le chien s'est attiré la sympathie
de tous, a eu son heure de gloire dans la presse locale et est
même passé au journal de 13 heures de Jean-Pierre Pernault.
Pourtant, un matin, un homme entre dans la boucherie et
lance :
– Trois tranches de jambon, s'il vous plaît ! Cette fois-ci, ce
n'est pas mon chien qui vient faire les courses !
– Ah ! Vous êtes le propriétaire de cet adorable chien ! fait le
boucher. Très heureux de vous connaître ! Mais… pourquoi
le chien ne vient-il pas ce matin ?
– Il est mort…
– Oh, non ! Quelle tristesse ! Que s'est-il passé ?

– J'ai été obligé de le piquer…
– Mon Dieu ! Il était malade ?
– Non, il était vraiment trop con !
– Comment ça ! Ce chien faisait tout seul les courses, il payait lui-même et était parvenu à communiquer avec nous ! Vous ne pouvez pas dire qu'il était con !
– Je sais tout ça ! Et quand il avait terminé les commissions, il revenait chez moi, prenait l'ascenseur et frappait à la porte pour rentrer parce que, ce con, chaque fois il oubliait de prendre ses clefs !

• **Un kangourou entre dans un bar et commande une tequila.** Le barman le sert, se fait régler et dit :
– C'est la première fois que je sers un kangourou !
– Ça ne m'étonne pas, répond le kangourou, au prix où vous faites la tequila !

• **Un homme dont la maison est infestée de souris se rend dans une animalerie pour acheter un chat.**
– Je veux un chat qui soit capable d'attraper toutes les souris !
– J'ai ce qu'il vous faut, lui répond le vendeur. Regardez ce chat… Il est extraordinaire ! Faites-moi confiance, il va vous tuer toutes les souris.
L'homme revient chez lui avec le chat qui, aussitôt arrivé, se met à chasser les souris. Quelques heures plus tard, il les a toutes chopées sauf une… Cette dernière se tient recluse au fond d'un trou et n'a visiblement pas l'intention de sortir. L'homme téléphone alors à l'animalerie et demande à parler au vendeur…
– Vous m'avez promis que ce chat tuerait toutes les souris ! Et il en reste une qui a trop peur de lui pour sortir !
– Cela peut arriver, répond le vendeur. Placez le chat devant le trou et demandez-lui d'aboyer !
L'homme positionne le chat face au trou, lui demande d'aboyer et… le chat aboie ! La souris, pensant qu'il s'agit d'un chien, sort enfin de son trou et se fait alors croquer par

le chat ! L'homme reprend son interlocuteur au téléphone et lui dit :
– Ça a marché ! C'est génial ! Mais dites-moi, ce chat sait aussi aboyer ?
– Oh, vous savez, répond le vendeur, maintenant, pour réussir, il faut savoir parler deux langues !

• **Dans un zoo, un éléphant rencontre un chameau et se moque de lui :**
– Ah ! Ah ! Ah ! Tu t'es fait faire des implants mammaires sur le dos ?
– Ah ! Ah ! Ah ! fait le chameau. Et toi, tu t'es fait greffer une bite au milieu de la tronche ?

• **Un ours polaire va voir son père et lui demande :**
– Papa, c'est vrai que je suis un ours polaire ?
– Absolument, mon fils ! Et tu es même un des derniers représentants de notre espèce !
Le petit ours blanc va ensuite voir sa mère et se blottit contre elle...
– Dis maman, c'est vrai que je suis un ours polaire ?
– Oui, mon petit. Tu es un mignon petit ours polaire. Pourquoi me demandes-tu ça ?
– Parce que j'ai un peu froid...

• **Un homme entre dans un bar accompagné de deux pingouins.** L'homme commande trois whiskys : un pour lui, et les deux autres pour les pingouins. L'homme boit son whisky et les pingouins sifflent le leur... Le lendemain, l'homme revient avec ses deux pingouins et commande à nouveau trois whiskys. Et c'est ainsi que pendant un mois, l'homme et les deux pingouins qui l'accompagnent viennent tous les jours s'enfiler un whisky. Un jour, le type arrive avec ses deux pingouins et une grosse langouste...
– Tenez ! dit-il au barman en lui tendant la langouste. C'est pour vous ! Je tenais à vous remercier de toujours avoir

accepté de servir mes pingouins, et cela sans jamais poser de questions !

– C'est très gentil à vous ! répond le barman tout en prenant la langouste. Je la prends volontiers pour dîner !

– Ce n'est pas la peine, répond l'homme, elle sort de table. Par contre, l'après-midi, elle adore aller au cinéma…

Cheveux gris

• **Pourquoi Céline Dion est-elle la plus vieille femme de monde ?**
Parce qu'avec René, elle prend tous les soirs un coup de vieux !

• **Trois papis discutent sur un banc...**
– Moi, quand je pète, dit le premier, ça ne fait pas de bruit, mais qu'est-ce que ça pue !
– Bah moi, quand je pète, dit le deuxième, ça ne pue pas, mais qu'est-ce que ça fait du bruit !
– Moi, dit le troisième, quand je pète, ça ne fait pas de bruit et ça ne pue pas !
Les deux autres se tournent alors vers lui et lui demandent :
– Ben, pourquoi que tu pètes, alors ?

• **Deux papis discutent sur un banc :**
– Moi, je me sens toujours jeune ! Quand je vois passer une jeune fille en minijupe, je suis toujours plein d'espoirs !
– Eh bien moi, je dois être vieux... Parce que quand je vois passer une jeune fille en minijupe, j'ai plein de souvenirs...

• **Un vieux monsieur marche à quatre pattes dans le caniveau.** Un passant se baisse et lui demande :
– Vous cherchez quelque chose ?
– Oui, à me relever !

• **Trois vieux messieurs discutent sur un banc du manque qu'ils éprouvent à ne plus avoir de rapports sexuels :**
– Moi, dit le premier, mon problème, ce sont mes jambes. Je ne cours plus assez vite pour attraper les filles !
– Moi, fait le second, le problème vient de mes yeux. Je n'y vois plus assez bien pour être certain qu'il s'agisse bien d'une fille !
– Et moi, explique le troisième, ce matin encore j'ai dit à ma femme : « J'ai envie de toi ! » et elle m'a répondu : « Mais tu m'as déjà fait l'amour il y a à peine quatre heures ! » Mon problème, moi, c'est la mémoire...

• **Un vieux monsieur se plaint...**
– Les enfants sont ingrats ! Je me suis saigné aux quatre veines pour que mon fils devienne médecin ! Et vous savez comment il m'a remercié pour tous les sacrifices que j'ai faits pour lui ?
– Non...
– Eh bien... Il m'a interdit l'alcool et le tabac !

• **Pendant la Seconde Guerre mondiale, lors d'une alerte aérienne en pleine nuit, un enfant accompagne sa grand-mère jusqu'à un abri.** Soudain, la grand-mère fait demi-tour et dit :
– Continue sans moi, j'ai oublié mon dentier dans le verre sur la table de nuit !
– Laisse tomber mémé ! Ils balancent des bombes, pas des sandwichs !

• **Un vieil homme devenu sourd se fait appareiller par son médecin.**
– Avec ces appareils auditifs, votre vie va être bouleversée ! Vous allez de nouveau pouvoir avoir une vie sociale, rompre avec l'isolement et communiquer avec vos proches.
Deux mois plus tard, le vieil homme revient voir son médecin pour un contrôle des appareils.
– Alors ! N'avais-je pas raison ? Vos proches peuvent de nouveau vous adresser la parole, n'est-ce pas ?
– Non... Je ne leur ai pas encore dit que je m'étais fait appareiller. Je reste assis et je les écoute... Ça fait quatre fois que je modifie mon testament !

• **Trois mamies discutent sur un banc.**
– Je perds la mémoire. L'autre jour, je ne sais plus quand, je vais dans la cuisine et je ne savais même plus pourquoi !
– Moi, aussi. L'autre jour, je ne sais plus quand, je me suis levée pour aller quelque part et je savais même plus où !
– Moi, ça ne m'arrive pas encore ! Je touche du bois !
« Toc toc toc ! » fait alors la troisième mamie en tapant sur le bois du banc, avant d'ajouter :
– Qui est là ?

• **Une mamie se rend chez son médecin...**
– Docteur, j'ai des gaz... Je suis ballonnée et n'arrête pas de
péter. D'un autre côté, mes pets ne sentent pas mauvais et ne
sont pas bruyants...
Le médecin lui rédige une ordonnance et, quelques jours plus
tard, la mamie revient voir son médecin...
– Docteur, j'ai toujours des gaz. Je ne sais pas ce que vous
m'avez donné, mais maintenant, ils sentent très mauvais !
D'un autre côté, ils ne sont pas bruyants...
– Bien ! fait le médecin. Maintenant que vos sinus sont
débouchés, nous allons nous occuper de vos oreilles !

• **Un journaliste vient interviewer un centenaire qui vient
de gagner le gros lot à l'Euromillion...**
– Alors, monsieur, qu'allez-vous faire de tout cet argent !
Allez-vous en faire profiter vos proches ?
– Eh bien... Dans un premier temps, répond le vieil homme,
je vais le mettre de côté pour mes vieux jours.

• **Un couple de personnes âgées reçoit un autre couple
d'amis à dîner.** Le mari discute avec l'homme et raconte :
– La semaine dernière, nous sommes allés dans un super
restaurant. Nous avons très bien mangé. Franchement, je vous
le recommande vivement !
– Ah, très bien... Et comment s'appelle ce restaurant ?
– Heu... À mon âge, je commence malheureusement à avoir
la mémoire qui flanche... Comment s'appelle cette fleur
rouge... Vous savez, celle que l'on offre souvent aux femmes ?
– La rose ?
– Oui, c'est ça !
L'homme se retourne alors vers sa femme et lance :
– Rose, te souviens-tu du nom du restaurant où nous avons
mangé la semaine dernière ?

• **Un légionnaire en permission marche sur la route pour
rejoindre le village le plus proche.** En chemin, il rencontre
une chèvre... et en tombe éperdument amoureux. Comme

la route est déserte et qu'il est très en manque de sexe, le légionnaire baisse son pantalon, empoigne la chèvre par les cornes et... la chèvre, qui n'a pas l'intention de se laisser faire, part en courant ! C'est donc le pantalon baissé et accroché aux deux cornes de la chèvre que le légionnaire arrive au village. Là, deux papis assis sur un banc découvrent le spectacle, qu'ils ne manquent pas de commenter :

– Regarde-moi ça... Les jeunes, ça n'a pas d'argent pour s'habiller, mais ça se paye quand même des motos !

• **Les amis d'un vieux monsieur qui vient d'épouser une toute jeune femme lui disent :**
– Tu ne penses pas que tu vas être cocu ?
– À mon âge, répond le vieil homme, on n'est plus cocu : on est secondé !

Citations

• « Un ami est comme un melon. Il faut en essayer plusieurs avant d'en trouver un bon. »
Alfred de Musset

• « Coucher avec un vieux, quelle horreur ! Mais avec un jeune, quel travail ! »
Alice Sapritch

• « L'argent aide à supporter la pauvreté. »
Alphonse Allais

• « Les femmes seraient charmantes si on pouvait tomber dans leurs bras sans tomber dans leurs mains. »
Ambrose Bierce

• « Les politiques sont comme les chevaux, ils ne peuvent marcher droit sans œillères. »
Anatole France

• « Quand on ment à une femme, on a l'impression qu'on se rembourse. »
Sacha Guitry

• « Le pape n'a rien compris au préservatif. La preuve : il le met à l'index ! »
André Santini

• « Le plat du jour c'est bien, à condition de savoir à quel jour remonte sa préparation. »
Pierre Dac

• « Je veux mourir avec une bonne haleine. Je refuse d'imposer mes deux derniers mots avec une haleine de chacal. »
Benoit Poelvoorde

• « Pourquoi je joue aussi bien les garces ? Parce que je n'en suis pas une. C'est sans doute pour ça que Joan Crawford joue toujours des dames respectables. »
Bette Davis

• « Entre une mauvaise cuisinière et une empoisonneuse il n'y a qu'une différence d'intention. »
Pierre Desproges

• « Tout arrive à qui sait attendre. La mort, par exemple. »
Bradley

• « Je suis poisson. C'est le liquide qui me soutient et c'est la queue qui me dirige. »
Carlos

• « Donnez-moi un bain sans eau, je n'ai pas le temps de me sécher ! »
Celmas

• « Apprendre à mourir ! Et pourquoi donc ? On y réussit très bien la première fois ! »
Sébastien Roch Nicolas de Chamfort

• « Un homme qui ne boit que de l'eau a un secret à cacher à ses semblables. »
Charles Baudelaire

• « Des chercheurs qui cherchent, on en trouve. Mais des chercheurs qui trouvent, on en cherche. »
Charles de Gaulle

• « Le sage ne tire pas la queue du tigre, même lorsqu'il dort ! »
Charles Pasqua

• « En Angleterre, tout est permis, sauf ce qui est interdit. En Allemagne, tout est interdit, sauf ce qui est permis. En France, tout est permis, même ce qui est interdit. En URSS, tout est interdit, même ce qui est permis. »
Winston Churchill

• « Dans la lutte pour la vie, celui qui est à bout de souffle, à bout d'arguments, à bout de moyens et à bout de tout, n'est heureusement, et par contre, pas au bout de ses peines. »
Pierre Dac

• « Pour faire face à la hausse du prix du pétrole, je conseille aux Français de faire du vélo. »
Christine Lagarde

• « Gynécologue, c'est un métier accessible aux sourds. En effet, il n'y a rien à entendre et on peut lire sur les lèvres. »
Coluche

• « Je me demande si l'on n'en a pas trop fait pour les obsèques de François Mitterrand. Je ne me souviens pas qu'on en ait fait autant pour Giscard. »
André Santini

• « Si vous n'aimez pas les cercueils, on vous fera monter de la bière. »
Francis Blanche

• « Si le plus grand plaisir des hommes est de se payer les corps des femmes, le plus grand plaisir des femmes est de se payer la tête des hommes. »
Sacha Guitry

• « Certaines gens ont tellement honte d'emprunter qu'ils n'osent pas rendre. »
Frédéric Dard

• « J'ai jamais été grand. J'ai d'abord été petit, puis j'ai tout de suite été gros. »
Coluche

• « Certaines voies urinaires sont encore plus impénétrables que les voies du Seigneur. »
Pierre Dac

• « Il vaut mieux se laver les dents dans un verre à pied que les pieds dans un verre à dents. »
Georges Bidault

• « Les femmes vivent plus longtemps que les hommes, surtout quand elles sont veuves. »
Georges Clemenceau

• « Je sais que pour une femme c'est difficile de rendre un homme heureux… Mais si ce travail vous paraît trop dur toute seule, mettez-vous à plusieurs ! »
Pierre Desproges

• « Trop de repos n'a jamais fait mourir personne. »
Tristan Bernard

• « En politique, on succède à des imbéciles et on est remplacé par des incapables. »
Georges Clemenceau

• « Il vaut mieux être infidèle avec l'homme que l'on aime que fidèle avec un homme que l'on n'aime pas. »
Georges Wolinsky

• « Je vous offrirais bien un parachute si j'étais sûr qu'il ne s'ouvre pas. »
Groucho Marx

• « Les femmes seront les égales des hommes le jour où elles accepteront d'être chauves et trouveront ça distingué. »
Coluche

• « Les ennuis, c'est comme le papier hygiénique : on en tire un, il en vient dix ! »
Woody Allen

• « Je veux que chaque Français sorte son instrument, le prenne en main, et descende dans la rue pour montrer à ses voisins ce dont il est capable ! »
Jack Lang

• « Ce n'est pas la fin. Ce n'est même pas le commencement de la fin. Mais c'est peut-être la fin du commencement. »
Winston Churchill

• « Certaines femmes ne deviennent spirituelles qu'en vieillissant ; on dirait qu'alors elles travaillent à se faire écouter pour empêcher qu'on les regarde. »
Jacob

• « À la caserne, on ne fait rien, mais on le fait tôt et ensemble. »
Jacques Deval

• « Dieu a fait l'homme à son image, l'exhibitionniste lui rend hommage. »
Jacques Prévert

• « Beaucoup de citoyens déprimés ne tiennent le coup que parce qu'ils le tirent. »
Frédéric Dard

• « Ma femme est très portée sur le sexe. Malheureusement, ce n'est pas sur le mien. »
Pierre Desproges

• « Elles croient que tous les hommes sont pareils, parce qu'elles se conduisent de la même manière avec tous les hommes. »
Sacha Guitry

• « Le travail le plus fatigant n'est pas celui que l'on fait mais celui qui nous reste à faire. »
Jean Brassard

• « À l'Assemblée on s'occupe des JO et on laisse les Jeux paralympiques au Sénat. »
Jean-Louis Debré

• « Elle flotte, elle hésite, en un mot elle est femme. »
Jean Racine

• « Si le gouvernement créait un impôt sur la connerie, il serait tout de suite autosuffisant. »
Jean Yanne

• « Il vaut mieux être cocu que veuf : il y a moins de formalités ! »
Alphonse Allais

• « Bien mal acquis ne profite jamais qu'à ceux qui sont assez malins pour ne pas se faire épingler. »
Pierre Dac

• « Dans la vie, y a pas d'grands, y a pas d'petits. La bonne longueur pour les jambes, c'est quand les pieds touchent bien par terre. »
Coluche

• « La différence entre un cocu et un député, c'est que le premier n'est pas obligé d'assister à la séance. »
André Santini

• « Pour le pape, le plus dur c'est de ne pas avoir d'homologue avec qui causer boulot. »
Jean Yanne

• « Quand le moment est venu, l'heure est arrivée. »
Raymond Barre

• « Celle-là, quand on veut l'embrasser sur les deux joues, il est plus court de passer par-derrière... »
Tristan Bernard

• « Sarkozy, c'est le seul qui a été obligé de passer par l'Élysée pour devenir Premier ministre. »
Jean-Louis Borloo

• « Si un jour je mange un croissant, va-t-on crier au racisme anti-turc ? »
Jean-Marie Le Pen

• « Le point commun entre tous les hommes que j'ai aimés ? Moi ! »
Jeanne Moreau

• « Il faut mettre le terme aux maîtres. »
Pierre Desproges

• « L'agréable perspective du veuvage soutient le courage de beaucoup d'épouses. »
John Gay

• « Les chapeaux de cow-boy, c'est vraiment pas pratique pour s'embrasser. »
Johnny Hallyday

• « Si coucher avec une fille de 15 ans est un détournement de mineure, coucher avec une femme de plus de 70 ans est une violation de sépulture. »
José Arthur

- « La parole est d'argent. Le silence, et dors... »
Laurent Gaulet

- « Voler, c'est quand on a trouvé un objet avant qu'il ne soit perdu. »
Coluche

- « Abstenez-vous de raconter à votre femme les infamies que vous ont faites les précédentes. Ce n'est pas la peine de lui donner des idées. »
Sacha Guitry

- « Si tu es athée, c'est que tu es de mauvaise foi. »
Frédéric Dard

- « Le meilleur argument contre la démocratie est un entretien de cinq minutes avec un électeur moyen. »
Winston Churchill

- « C'est en forgeant qu'on devient forgeron et c'est en sciant que Léonard devint scie ! »
Pierre Dac

- « On vend de la mort aux rats mais pas de la mort aux cons. L'extermination des nuisibles a encore des progrès à faire ! »
Laurent Gaulet

- « Mieux vaut être dévoré par les remords dans la forêt de Forbach qu'être dévoré par les morbacs dans la forêt de Francfort. »
Pierre Desproges

- « Le confort ménager corrompt. Un homme droit est un homme qui n'a pas d'évier. »
Marc Escayrol

- « Les talons hauts ont été inventés par une femme qu'on embrassait toujours sur le front. »
Marcel Achard

- « Il y a trois sortes de mensonges : les mensonges, les sacrés mensonges et les statistiques. »
Mark Twain

- « Ma femme et moi avons été heureux vingt-cinq ans ; et puis, nous nous sommes rencontrés. »
Sacha Guitry

- « Ségolène Royal aura la place qu'elle souhaite dans le PS, même si la plupart sont déjà occupées. »
Martine Aubry

- « La femme qui vous aime vous parle d'avenir. Celle qui ne vous aime pas parle de... présents. »
Maurice Dekobra

- « Autopsie : elle permet aux autres de découvrir ce qu'on n'a jamais pu voir en soi-même. »
Maurice Ferrand

- « J'ai un truc pour se souvenir de la date d'anniversaire de votre femme : il suffit de l'oublier une fois ! »
Michel Galabru

- « La politique, c'est comme l'amour, il faut des grands sentiments et des petites intentions. »
Michèle Barzach

- « Je ne crois aux statistiques que lorsque je les ai moi-même falsifiées. »
Winston Churchill

• « Il y a tellement de choses qu'on voudrait avoir faites hier et si peu qu'on a envie de faire aujourd'hui. »
Mignon Mac Laughlin

• « C'est quand les accents graves tournent à l'aigu que les sourcils sont en accents circonflexes. »
Pierre Dac

• « Les Français ne parlent presque jamais de leurs femmes ; c'est qu'ils ont peur d'en parler devant des gens qui les connaissent mieux qu'eux. »
Montesquieu

• « C'est facile d'arrêter de fumer, j'arrête vingt fois par jour ! »
Oscar Wilde

• « La femme, à y regarder de plus près, est beaucoup plus qu'une excroissance osseuse. La femme est une substance matérielle organique composée de nombreux sels minéraux et autres produits chimiques parés de noms gréco-latins comme hydrogène et gaz carbonique, que l'on retrouve également chez l'homme, mais dans des proportions qui forcent le respect. »
Pierre Desproges

• « Je voulais prendre ma retraite, mais il semble que mes seins aient encore une carrière, alors je continue avec ! »
Pamela Anderson

• « Aujourd'hui, les femmes travaillent comme des mecs, s'habillent comme des mecs, jurent comme des mecs, conduisent comme des mecs, et après elles s'étonnent qu'on les encule ! »
Patrick Timsit

• « Moi aussi, je me suis marié, mais j'avais une excuse : le lave-vaisselle n'existait pas encore. »
Patrick Font

• « De tous les plaisirs, quand il n'en reste plus, il reste toujours celui de se lever de table après un repas ennuyeux. »
Paul Claudel

• « La météo est une science qui permet de connaître le temps qu'il aurait dû faire. »
Philippe Bouvard

• « Un chrétien qui se suicide, c'est comme un oranger sur le sol irlandais, ou une fourmi de dix-huit mètres traînant un char plein de pingouins et de canards : ça n'existe pas. On ne verra jamais un chrétien se suicider. Ou alors, c'est qu'il est très malheureux et qu'il a envie de mourir. »
Pierre Desproges

• « Comme Dieu est bon d'avoir créé la femme salope ! Sinon, elle ne serait que chiante. »
Frédéric Dard

• « J'ai peur que l'État dépense moins bien mon argent que je ne le ferais. »
Philippe Bouvard

• « D'après une étude américaine, 20 % des habitants de notre planète parlent anglais. Oui, les 80 % restants n'ont pas compris la question. »
Jean Yanne

• « Concierge souhaite une loge au sixième étage pour descendre le courrier au lieu de le monter. »
Pierre Dac

• « La meilleure façon de se venger d'un homme qui vous a pris votre femme, c'est de la lui laisser. »
Sacha Guitry

• « Ce n'est pas parce que l'homme a soif d'amour qu'il doit se jeter sur la première gourde. »
Pierre Desproges

• « Dame cherche nourrice aveugle pour enfant qui braille. »
Pierre Dac

• « J'essaye de noyer mon chagrin dans l'alcool, mais depuis le temps, il a appris à nager. »
Philippe Geluck

• « Joli paradoxe : la femme est le chef-d'œuvre de Dieu, surtout quand elle a le diable au corps. »
Alphonse Allais

• « Les psychiatres, c'est très efficace. Moi, avant, je pissais au lit, j'avais honte. Je suis allé voir un psychiatre, je suis guéri. Maintenant, je pisse au lit, mais j'en suis fier ! »
Coluche

• « Moi, l'augmentation du prix de l'essence, je m'en fous. J'en prends toujours pour 75 euros. »
Philippe Geluck

• « Dans notre société de consommation et d'épargne, un homme qui a de l'argent est un homme considéré. Un homme qui n'en a pas est également un homme considéré, mais lui, comme un pauvre type. »
Pierre Dac

• « En avalant les méchantes paroles qu'on ne profère pas, on ne s'est jamais abîmé l'estomac. »
Winston Churchill

• « Par deux points fascistes passe une extrême droite et une seule. »
Jean Yanne

• « Ne faites jamais l'amour le samedi soir, car s'il pleut le dimanche, vous ne saurez plus quoi faire. »
Pierre Desproges

• « Il ne faut jamais faire de projets, surtout en ce qui concerne l'avenir. »
Alphonse Allais

• « C'est pas parce qu'ils sont nombreux à avoir tort qu'ils ont raison ! »
Coluche

• « Des fois, j'ai pensé mettre fin à mes jours. Mais je ne savais jamais par lequel commencer. »
Jacques Prévert

• « Le bonheur à deux, ça dure le temps de compter jusqu'à trois ! »
Sacha Guitry

• « Une fausse erreur n'est pas forcément une vérité vraie. »
Pierre Dac

• « De tous ceux qui n'ont rien à dire, les plus agréables sont ceux qui se taisent. »
Pierre Desproges

• « La meilleure façon de résoudre le chômage, c'est de travailler. »
Raymond Barre

• « Oh ! l'éternel féminin, comme disait le monsieur dont la femme n'en finissait pas de mourir. »
Alphonse Allais

• « Les habits sont aux femmes ce que les aromates sont aux plats : en petite quantité ils en rehaussent le goût, en trop grande, ils en masquent la saveur véritable. »
Sacha Guitry

• « Je trouve que la télévision à la maison est très favorable à la culture. Chaque fois que quelqu'un l'allume chez moi, je vais dans la pièce d'à côté et je lis. »
Groucho Marx

• « La différence qu'il y a entre les oiseaux et les hommes politiques, c'est que de temps en temps les oiseaux s'arrêtent de voler ! »
Coluche

• « Les voies qui ne sont ni en sens unique, ni en sens interdit, ni à double sens n'ont aucun sens parce qu'elles vont dans tous les sens. »
Pierre Dac

• « Si vous voulez que votre femme écoute ce que vous dites, dites-le à une autre femme. »
Sacha Guitry

• « Évitez soigneusement de faire du sport : il y a des gens qui sont payés pour ça. »
Stephen Leacock

• « La démocratie, c'est la moitié des cons plus un. »
Philippe Bouvard

• « Ce n'est pas parce qu'en hiver on dit "fermez la porte, il fait froid dehors", qu'il fait moins froid dehors quand la porte est fermée. »
Pierre Dac

• « Il vaut mieux être plusieurs sur une bonne affaire que seul sur une mauvaise. »
Tristan Bernard

• « Je suis comme les ruisseaux : je suis clair parce que je ne suis pas profond. »
Voltaire

• « Je suis prêt, pour ma part, à me présenter devant le Créateur et à l'affronter. Mais Lui, est-il préparé à cette épreuve ? »
Winston Churchill

• « À vendre, casseroles carrées pour empêcher le lait de tourner. »
Alphonse Allais

• « C'est quand on a raison qu'il est difficile de prouver qu'on n'a pas tort. »
Pierre Dac

• « Chez nous, c'est moi le patron. Ma femme est seulement celle qui prend les décisions. »
Woody Allen

• « Combien de maris j'ai eus ? Vous voulez dire en dehors des miens ? »
Zsa Zsa Gabor

• « Les faux cons, il ne leur manque que deux ailes pour qu'ils s'envolent. »

• « Si on roulait au milieu, on pourrait doubler par la gauche ou par la droite. »

• « Avant de dire "je t'aime'", il faut tourner sept fois sa langue dans la bouche de l'autre. »

• « Il ne faut pas raconter des salades à son pote âgé. »

• « Vends encyclopédie cause double emploi. Ma femme sait tout… »

• « Dans la vie, parfois tu es le pare-brise, parfois le moucheron… »

• « Les cons, c'est comme les stops, il y en a à tous les coins de rues ! »

• « L'amour c'est comme une pellicule photo, ça se développe dans le noir. »

• « Les lapsus sont comme les cunnilingus : un écart de langue et on se retrouve dans la merde. »

• « L'amour est un jardin : quelques pelles et beaucoup de râteaux dans la gueule ! »

• « L'amour, c'est comme un rhume : on l'attrape au coin de la rue et ça se finit au lit. »

Les nains

• **Un nain se rend dans des toilettes publiques.** Il se positionne face à un urinoir et commence à faire pipi. À côté de lui, un type qui mesure au moins 1,90 m urine aussi. Le nain ne cesse de lever la tête et de regarder son voisin en clignant des yeux si bien qu'au bout d'un moment, le type lui demande :
– Qu'est-ce que t'as ? T'es homo ou quoi ?
– Non, répond le nain, mais ça me gicle dans les yeux !

• **Une naine se rend chez son gynécologue.**
– Docteur, chaque fois qu'il pleut, j'ai les lèvres irritées.
– Alors cessez de mettre des bottes en caoutchouc !

• **Un nain est accusé du viol d'une blonde.** La blonde est interrogée par l'avocat de l'accusé.
– Mademoiselle, reconnaissez-vous votre agresseur ?
– Non, je ne peux pas, j'étais dans le noir !
– Dans quelle position étiez-vous au moment de l'acte sexuel ?
– Heu… Debout !
Puis l'avocat interroge son client :
– Avez-vous violé cette femme ?
– Non, je ne l'ai pas violée ! D'ailleurs, comment aurais-je pu ? Elle est beaucoup trop grande pour moi !
Pourtant l'avocat de la victime présente à la cour une pièce à conviction.
– Monsieur le juge, voici un seau. Celui-ci a été retrouvé dans les toilettes et il est probable que cette personne de petite taille soit montée dessus pour commettre son crime !
Le juge demande alors au nain de se mettre face à la victime et de monter sur le seau.
– Vous voyez, monsieur le juge, même sur le seau, je suis encore trop petit !
Finalement, faute de preuve, le nain est disculpé. En sortant du tribunal, le nain dit alors à son avocat :
– Hé ! Hé ! Hé ! Je l'avais pourtant bien baisée cette salope !
– Hein !? Et comment ?
– Ben, je lui ai jeté le seau sur la tête, et je me suis balancé à l'anse !

• **Après un voyage au pôle Nord, les sept nains se rendent à Rome et demandent une audience avec le pape.** Ce dernier accepte de les recevoir...
– Que puis-je pour vous ? leur demande le pape.
Prof prend la parole :
– Votre éminence, Simplet aimerait vous poser une question.
– Très bien, je l'écoute !
Simplet s'avance et dit :
– Est-ce qu'il y a des bonnes sœurs au pôle Nord ?
– Heu... Oui, je crois bien que oui.
– Et... y a-t-il des bonnes sœurs naines au pôle Nord ?
Le pape se renseigne auprès des cardinaux, puis lui répond :
– Oui, il y a bien une bonne sœur naine au pôle Nord !
– Ah ! Et cette bonne sœur naine au pôle Nord, elle est noire ?
Le pape redemande aux cardinaux et répond :
– Ah non... Elle est blanche.
Et les six autres nains se mettent alors à chanter :
– Simplet a baisé un pingouin ! Simplet a baisé un pingouin !.

• **Un enfant demande à son père :**
– Dis, papa ! Pourquoi quand je marche, je tourne en rond ?
– Tais-toi, ou je te cloue l'autre pied !

• **Qu'est-ce qu'un nain satanique ?**
Un nain fernal.

• **Qu'est-ce qu'un nain dégueu ?**
Un nain fect.

• **Qu'est-ce qu'un nain guérisseur ?**
Un nain firmier.

• **Qu'est-ce qu'un nain emmêlé ?**
Un nain broglio.

• Qu'est-ce qu'un nain qui n'a pas d'utilité ?
Un nain portequoi.

• Qu'est-ce qu'un nain qui veille ?
Un nain somniaque.

• Qu'est-ce qu'un nain pas blessé ?
Un nain demne.

• Qu'est-ce qu'un nain blindé ?
Un nain destructible.

• Qu'est-ce qu'un nain déshonoré ?
Un nain digne.

• Qu'est-ce qu'un nain qui dégueule ?
Un nain digestion.

• Qu'est-ce qu'un nain local ?
Un nain digène.

• Qu'est-ce qu'un nain puéril ?
Un nain fantile.

• Qu'est-ce qu'un nain non identifié ?
Un nain connu.

• Qu'est-ce qu'un nain peintre ?
Un nain pressionniste.

• Qu'est-ce qu'un nain remboursé ?
Un nain demnisé.

• Qu'est-ce qu'un nain qui n'a besoin de personne ?
Un nain dépendant.

• Qu'est-ce qu'un nain qui rend plus que ce qu'il emprunte ?
Un nain térêt.

• Qu'est-ce qu'un nain qui a une usine ?
Un nain dustriel.

• Qu'est-ce qu'un nain sans barbe ?
Un nain berbe.

• Qu'est-ce qu'un nain équitable ?
Un nain partial.

• Qu'est-ce qu'un nain qui est allé à l'école ?
Un nain struit.

• Qu'est-ce qu'un nain qui n'est pas allé à l'école ?
Un nain culte.

• Qu'est-ce qu'un nain marié qui va aux putes ?
Un nain fidèle.

• Qu'est-ce qu'un nain qui ne se trompe jamais ?
Un nain faillible.

• Qu'est-ce qu'un nain extraordinaire ?
Un nain croyable.

• Qu'est-ce qu'un nain blessé ?
Un nain firme.

• Qu'est-ce qu'un nain qui use beaucoup d'encre?
Un nain primante.

• Qu'est-ce qu'un nain à la bite molle ?
Un nain puissant.

• Qu'est-ce qu'un nain qui dérange ?
Un nain portun.

• Qu'est-ce qu'un nain qui n'est pas un nain ?
Un nain posteur.

• Qu'est-ce qu'un nain des Andes ?
Un nain ca.

• Qu'est-ce qu'un nain athée ?
Un nain pie.

Drôles
de couples

• **Un homme vient de se marier à l'église.** Ne sachant pas quelle somme d'argent on donne habituellement au prêtre pour une célébration de mariage, il se renseigne :

– Combien je vous dois pour le mariage, monsieur le curé ?

– En fait, plus la mariée est jolie, plus c'est cher ! répond le curé en plaisantant.

Le marié sort alors une pièce de 1 euro de sa poche et la tend au prêtre. Ce dernier la prend et lui dit :

– Ne bougez pas, je vais chercher de la monnaie !

• **Dans une ferme, un enfant va voir sa mère et lui annonce :**

– Maman ! Maman ! Ce matin, j'ai observé le coq. Il s'est accouplé une dizaine de fois !

– Ah bon ? Va raconter ça à ton père, il comprendra.

L'enfant va donc voir son père.

– Papa ! Papa ! Maman m'a dit de te raconter que ce matin, j'ai observé le coq. Il s'est accouplé une dizaine de fois !

– Ah bon ? Dix fois avec la même poule ?

– Non, avec dix poules différentes !

– Alors va raconter ça à ta mère, elle comprendra.

• **À l'Opéra, un homme ne cesse de parler à l'oreille de sa femme...** Très agacé, son voisin finit par lui dire :

– Monsieur, s'il vous plaît... Je n'entends rien !

– Mais enfin, monsieur ! Ma conversation avec ma femme ne vous regarde pas !

• **Dans un grand magasin, un homme regarde les gants pour femmes...**

– Je peux vous aider ? lui demande une vendeuse.

– Oui, je voudrais acheter des gants à ma femme, mais je ne connais pas sa taille.

– A-t-elle les mains comme les miennes ?

– Oui, à peu près.

– Dans ce cas je vais les essayer pour vous aider à choisir.

L'homme choisit une paire de gants et la vendeuse lui demande :

– Vous fallait-il autre chose ?

– Heu… Maintenant que vous me le dites, j'avais aussi pensé à lui acheter un soutien-gorge et une culotte, mais je ne connais pas sa taille…

• **Le lendemain de sa nuit de noces, peu de temps avant de monter sa société, Bill Gates demande à sa femme :**

– Alors c'était bien ? Ça t'a plu ?

Et elle lui a répondu :

– Micro… Soft…

• **Le matin, un couple d'homos s'habille avant de partir travailler.**

– Tiens, tu t'habilles avec des couleurs claires aujourd'hui ? dit l'un.

– Oui, j'en ai marre d'être enfoncé !

• **Un homme qui souhaite divorcer se rend chez son avocat.** Ce dernier lui demande :

– Sous quel régime êtes-vous marié ?

– Sous le régime dictatorial !

• **Une jeune fille demande à sa mère :**

– Maman, c'est quoi un orgasme ?

– Je sais pas, demande à ton père…

• **Deux filles discutent à la terrasse d'un café.**

– Tu ne me sembles pas avoir le moral ?

– Non, pas trop…

– Qu'est-ce qui ne va pas ?

– Mon petit ami a perdu toutes ses économies en Bourse !

– Et tu t'en fais pour lui…

– Oui, il me manquera…

• **Une femme annonce à son mari qu'elle lui a réservé une grosse surprise dans le garage...**
– Devine ce que je t'ai acheté ?
– Je sais pas... Dans le garage ?
– Oui...
– Tu m'as acheté un Renault Scénic ?
– Non... Beaucoup mieux que ça !
– Mercedes ?
– Mieux !
– Jaguar !
– Oui !
– Oh ! Tu viens de réaliser le rêve de ma vie !
– Je suis contente que cela te plaise... Je l'ai mis dans le garage, mais il faudra que tu lui achètes une cage, c'est dangereux cette bête-là !

• **Un couple se rend chez le médecin. Le mari est dépressif...**
– Vous avez besoin de calme. De beaucoup de calme... Je rédige une ordonnance avec des calmants. Votre femme devra en prendre un matin, midi et soir !

• **Un homme retrouve un copain dans un bar.**
– Salut ! C'est la première fois que je te vois là ?
– Oui, ma femme vient de me quitter...
– Alors, tu viens te saouler...
– Non, je viens fêter ça !

• **Lors d'un cocktail mondain, une femme réprimande son époux :**
– Chéri, je constate que c'est la huitième fois que tu vas chercher un whisky au buffet ! Que vont penser les gens ?
– T'inquiète pas pour ça... Chaque fois je dis que c'est pour toi !

• **Un jeune couple vient de se marier.** Le soir de la nuit de noces, la mariée se glisse sous les draps à côté de son époux et lui dit timidement :
– Tu sais… Tu es le premier que j'aime…
– Je sais, tu me l'as toujours dit, et c'est bien pour ça que je t'ai épousée ! Ne t'inquiète pas, je ferai doucement, je sais que c'est ta première fois…
– Ah mais non, pas du tout ! Ce n'est pas la première fois, tous tes copains me sont même déjà passés dessus ! Ce que je voulais dire, c'est que tu étais juste le premier que j'aime…

• **Un couple est réveillé en pleine nuit par des bruits étranges dans la maison…** La femme chuchote à son mari :
– Je crois qu'il y a des cambrioleurs… Lève-toi leur faire peur !
– Si c'est pour leur faire peur, répond le mari, tu ferais mieux d'y aller, toi !

• **Une femme rentre bouleversée à la maison…**
– Tu ne vas pas bien, chérie ?
– Pas trop… Je suis allée voir une voyante… Elle m'a dit que tu allais bientôt mourir et que j'allais me remarier avec un de tes amis !
– Écoute, il ne faut pas croire ce qu'elle t'a dit, je ne vais pas mourir !
– Non, mais… ce qui m'embête, c'est qu'elle ne m'a pas dit avec lequel de tes amis !

• **Un couple reçoit plusieurs autres couples d'amis à dîner.** Avant qu'ils n'arrivent, le mari retire de l'entrée tous les parapluies.
– Pourquoi caches-tu les parapluies ? lui demande sa femme. Tu n'as quand même pas peur qu'ils nous les volent ?
– Non, j'ai peur qu'ils les reconnaissent !

QUE FAIS-TU CHÉRIE ?

HEU... J'ENVOIE UNE CARTE À TOUTE LA FAMILLE !

QU'ÉCRIS-TU ?

J'INVITE TOUT LE MONDE CE DIMANCHE. J'ORGANISE UN GRAND REPAS POUR FÊTER TA GUÉRISON !

TU CROIS QUE JE SERAI GUÉRI D'ICI DIMANCHE, MON AMOUR ?

MAIS BIEN SÛR !

DIS-MOI... ENTERREMENT... ÇA PREND UN "R" OU DEUX ?

D.Truchi

• **Une femme emprunte la voiture de son mari, avec sa permission exceptionnelle, pour faire quelques emplettes dans la journée.** Le soir, très inquiet pour sa voiture, le mari s'empresse de lui demander :
– Alors ! Ça s'est bien passé avec la voiture ?
– Oui, très bien, comme avec ta mère !
– C'est-à-dire ?
– Elle se froisse pour un rien !

• **Un couple est au lit et chacun est plongé dans sa lecture.** La femme lit un article sur la transmission de pensée...
– Chéri, ils disent que si l'on pense tous les deux la même chose en même temps, cela s'appelle de la « télépathie » !
– Ah... Pour moi, j'appellerais plutôt ça un « miracle » !

• **Un couple qui a fait connaissance via un site de rencontres sur Internet vient de se marier.** Le lendemain de leur nuit de noces, la femme surfe sur Internet.
– Que fais-tu ? lui demande le marié.
Et la femme répond :
– Je savais qu'il ne fallait pas passer par Internet ! Merde... Je n'arrive pas à trouver le lien pour joindre le service après-vente !

• **Un homme de 75 ans doit bientôt se marier.** Un ami lui demande :
– 75 ans... Tu ne crois pas que c'est un peu tard pour te marier ?
– Non, pas du tout ! Si ma femme est géniale, je me dirai que ça valait la peine d'attendre, et si c'est une chieuse... je serai content de ne pas l'avoir fait plus tôt !

• **Un homme qui vient d'être cambriolé se rend au commissariat de police le plus proche.**
– Monsieur l'inspecteur, je tiens à ce que vous retrouviez le voleur !

– Nous ferons tout pour l'attraper et le mettre sous les verrous...
– Non, je veux juste que vous le retrouviez. Ensuite, en échange de sa liberté, je voudrais qu'il m'explique quelque chose...
– Et quoi donc ?
– Il est rentré chez moi, en pleine nuit, sans réveiller ma femme. S'il me dit comment il s'y est pris, je retire ma plainte !

• **Un enfant rentre de l'école et demande à son père :**
– Tu peux m'expliquer ce que c'est qu'une « inflation galopante » ?
– Eh bien, par exemple, c'est quand ta mère part en courant m'acheter une paire de chaussettes et qu'elle revient avec une jupe, une paire de chaussures à talons, des produits de beauté...

• **Un enfant demande à son père :**
– Papa ! Combien font sept fois sept ?
– Quarante-neuf... Si ta mère est d'accord, bien sûr !

• **Une femme annonce à sa meilleure amie :**
– Ça y est ! François s'est enfin décidé à me parler mariage !
– Ah ! Et alors ?
– Il est contre...

• **Un homme entre dans une parfumerie, prend une bouteille de parfum féminin au hasard et s'en asperge copieusement.** Une vendeuse s'approche de lui et lui demande :
– Vous avez besoin d'aide ? Vous souhaitez offrir un parfum à une dame ?
– Non, non ! Je me mets juste un peu de parfum : c'est pour emmerder ma femme...

• **Pour l'anniversaire de sa femme, un homme lui annonce :**
– Chérie... Tu vas être contente : je t'ai acheté un vison !
– Oh, merci !
– De rien... Depuis le temps que tu m'en réclames un !
– Merci mon amour !
– Par contre, tu penseras à bien lui nettoyer sa cage tous les jours !

• **Un type reprend son travail après quelques jours de vacances.** Son collègue lui demande :
– Tu ne devais pas rester plus longtemps en vacances au bord de la mer ?
– Si, mais j'ai eu envie de rentrer. Ma femme, elle, est restée... D'ailleurs, je vais lui écrire tous les jours !
– Ah, l'amour ! Toujours l'amour !
– Disons que c'est surtout parce qu'elle m'a dit : « Si tu ne m'écris pas tous les jours, je rentre aussi ! »

• **Une femme en rencontre une autre alors qu'elle vient d'apprendre le décès de son mari...**
– J'ai appris la terrible nouvelle... Je vous présente toutes mes condoléances. J'espère qu'il n'a pas trop souffert ?
– Non, nous n'étions mariés que depuis trois ans !

• **Un homme cherche à marier sa fille à un monsieur beaucoup plus âgé qu'elle, mais fort riche...** La fille s'y oppose catégoriquement :
– Je ne veux pas l'épouser, il n'en est pas question !
– Mais il est pourtant très riche ! Que lui reproches-tu ?
– Son passé.
– Mais son passé est irréprochable !
– C'est possible, mais il est beaucoup trop long !

• **Un femme observe les mains de son amie...**
– Qu'as-tu fait à tes mains ? Elles sont devenues superbes !
Elles sont toutes lisses, la peau est soyeuse...

– J'ai trouvé un super truc pour ne plus me les abîmer avec les travaux ménagers.
– Dis-moi ! Il s'appelle comment ton produit ?
– Hector.
– Et tu le trouves où ?
– C'est mon nouveau copain...

• **Un type retrouve un vieux copain.**
– Alors, quoi de neuf depuis la dernière fois que nous nous sommes vus ?
– Ben... Il y a du bon, mais il y a aussi du mauvais...
– Dis-moi...
– Ma femme m'a quitté !
– Merde, désolé...
– Et le mauvais, c'est qu'elle est partie avec le chien !

• **Un shérif fait s'arrêter le véhicule d'un type qui conduisait trop vite.**
– Montrez-moi vos mains et sortez doucement du véhicule !
Maintenant, les mains sur la tête, et tournez-vous face à votre voiture !
– Je sais que je roulais trop vite, mais j'ai une très bonne excuse, je...
– La ferme !
– Oui, mais...
– La ferme, j'ai dit ! Mains derrière le dos ! Vous êtes en état d'arrestation pour excès de vitesse et rébellion ! Je vous conduis au poste !
Le shérif embarque le gars qui cherche de nouveau à se défendre...
– Je vous dis que j'ai une bonne excuse parce que je...
– Tu la boucles ou j'utilise le Taser !
Le shérif embarque donc le conducteur jusqu'au poste et le met en cellule.
– Tu restes là sous la surveillance de mon adjoint ! Je reviens dans deux heures m'occuper de ton cas !

Un peu plus tard, l'adjoint vient voir le conducteur :
– Alors ! On est calmé maintenant ?
– Si on veut, oui...
– T'as de la chance, le chef marie sa fille aujourd'hui ! Il y a de grandes chances pour qu'il soit de bonne humeur quand il va rentrer !
– Alors ça, ça m'étonnerait !
– Et pourquoi ?
– Parce que son futur gendre, celui qui était en retard pour se rendre à l'église... c'est moi !

• **Un type annonce à un copain que sa femme vient de le plaquer :**
– Si tu veux un bon conseil, lui dit le copain, rentre chez toi et noie ton chagrin dans un grand verre de whisky !
– Ça va pas être possible...
– Tu n'as pas de whisky ?
– Si, mais je n'ai pas de chagrin !

• **Depuis deux semaines, un type se rend tous les jours chez son épicier pour acheter une carotte.** Un jour, l'épicier finit par lui demander :
– Pourquoi n'achetez-vous pas des carottes pour toute la semaine ?
– Parce que je veux que la carotte soit fraîche !
– Ah ? Et vous en mangez une tous les jours ?
– Non... Je vais vous expliquer : ma femme a un vagin particulièrement large. Un jour, la lapine de mon fils s'est échappée de sa cage et, le confondant avec un terrier, elle est allée se réfugier dans le vagin de ma femme. Depuis, elle refuse de sortir ! Alors, comme je tiens malgré tout à honorer ma femme tous les soirs, j'introduis une carotte dans son vagin et, pendant que la lapine la mange, je me dépêche de faire ma petite affaire ! L'inconvénient, c'est que cela m'oblige à baiser aussi vite qu'un lapin !
– Vous plaisantez ?

– Pas du tout ! Je suis obligé de lui donner une carotte, car si je m'introduis sans rien donner, je crains qu'elle ne mange ma carotte à moi, si vous voyez ce que je veux dire...
– Oui, très bien !
Et pendant encore une quinzaine de jours, le type vient quotidiennement acheter une carotte à l'épicier qui est devenu son complice...
– Alors ! Toujours obligé de baiser comme un lapin ? La lapine n'est toujours pas sortie ?
– Eh non... Une carotte, s'il vous plaît !
Pourtant, un jour, le type entre et demande :
– Servez-moi huit carottes, s'il vous plaît !
– Ah ? Vous n'avez plus l'intention de baiser comme un lapin et vous souhaitez honorer votre femme plus longtemps ?
– Non... La lapine vient de faire une portée de sept lapins !

Contrepèteries

- **Je n'ai aucun rebord à mes épaulettes !**
Je n'ai aucun remords à baiser Paulette !

- **J'ai rendez-vous cabine treize.**
J'ai rendez-vous, Catherine baise…

- **Regarde, les catacombes !**
Regarde, les cacas tombent !

- **À l'hôtel du bon coucher.**
À l'hôtel du con bouché.

- **À l'idée de voir la Chine, la jeune fille est envahie d'une étrange pâleur.**
À l'idée de voir la pine, la jeune fille est envahie d'une étrange chaleur.

- **Bâiller en cours.**
Barrer en couille.

- **Je vais bricoler chez le passeur.**
Je vais picoler chez le brasseur.

- **Ce jeune séminariste s'imagine déjà en curé avec une calotte.**
Ce jeune séminariste s'imagine déjà enculé avec une carotte.

- **Celles qui n'aiment pas le Fabius veulent le mettre en l'air.**
Celles qui n'aiment pas le phallus veulent le mettre en bière.

- **Ces crampes me font bouder.**
Ces croupes me font bander.

- **C'est embêtant que la bise souffle jusqu'au banc.**
C'est en baisant que la bite s'enfle jusqu'au bout.

• **Elle fait de drôles de lippes à Patrick.**
Elle fait de drôles de pipes à la trique.

• **Ce n'est qu'un coureur de fond.**
Ce n'est qu'un fourreur de con.

• **Crier l'aveu n'est pas nécessaire.**
Vriller la queue n'est pas nécessaire.

• **Daffy Duck.**
Daddy fuck.

• **Ces baisses sont tout à fait faisables.**
Ces fesses sont tout à fait baisables.

• **Des colonnes de gauchistes se branchent sur l'Irak.**
Des cochonnes de gaullistes se branlent sur Chirac.

• **Trois ou quatre écus dans leurs bas.**
Trois ou quatre culs dans leurs ébats.

• **Voici des satins de jeunes mariés pudiques.**
Voici des putains de jeunes mariés sadiques.

• **Aujourd'hui, des vendeuses pétillantes proposent quelques fripes !**
Aujourd'hui, des vendeuses frétillantes proposent quelques pipes !

• **Direction et gestion du personnel.**
Digestion, érection du personnel.

• **Envoie-la vite à l'abbé !**
Envoie la bite à laver !

• **C'est une fine appellation.**
C'est une pine à fellation.

- **Il n'habite que des gîtes.**
Il n'agite que des bites.

- **J'habite Laval.**
J'avale la bite.

- **Souvent, il faut être peu pour bien dîner.**
Souvent, il faut être deux pour bien piner.

- **Il jette avec puissance !**
Il pète avec jouissance !

- **Il a le don de l'apaiser en la berçant.**
Il a le don de la baiser en la perçant.

- **Il montre sa bête à la miss.**
Il montre sa bite a la messe.

- **Mais il n'y a pas de quoi, ma sœur, pour un si petit don !**
Mais il n'y a pas de doigt, ma sœur, pour un si petit con !

- **Il malaxe le béton à la tonne.**
Il malaxe le téton à la bonne.

- **Il vit aux champs.**
Il chie aux vents.

- **Il est le seul à voir le monde conique.**
Il est le seul à voir le con de Monique.

- **Il a mis sa main dans l'énorme bas de laine.**
Il a mis sa main dans l'énorme Madeleine.

- **Ils se taisent devant le buteur**
Ils se baisent devant le tuteur.

• J'aime, au sortir du camp, une longue pêche sous-marine.
J'aime, au sortir du con, une langue rêche sous ma pine.

• Je pensais que vos perles coûtaient davantage !
Je pensais que vos pertes coulaient davantage !

• Sachez que je connais mon dû !
Sachez que je donnais mon cul !

• Je m'en vais en Loire...
Je m'envoie en l'air...

• Préférez-vous que je vous envoie dans la culture ?
Préférez-vous que je vous encule dans la voiture ?

• Des jolies tranches dans le mou !
Des jolis manches dans le trou !

• Elle préfère que la farine soit dans sa menthe.
Elle préfère que la Marine soit dans sa fente.

• Cette lutte me dépasse...
Cette pute me délasse...

• Je hais la mousse à la pistache !
Je hais la pisse à la moustache !

• Bonne nouvelle : la mule est en route.
Bonne nouvelle : la moule est en rut.

• As-tu vu la patte de la biche ?
As-tu vu la bite de l'Apache ?

• La pédicure me mouille toujours les cors.
La pédicure me mord toujours les couilles.

• Le président à la tête de l'Afrique.

Le président à la fête de la trique.

• **L'âge du vaccin n'est pas certain.**
L'axe du vagin n'est pas certain.

• **Le coureur en piste parle à peine.**
Le coureur empeste par la pine.

• **Le pont neuf fait un bon soixante pieds.**
Le pompier fait un bon soixante-neuf.

• **Le professeur vante la constitution.**
Le confesseur vante la prostitution.

• **Donne-moi le quart de tes douilles.**
Donne-moi le dard de tes couilles.

• **Comme tout le monde, j'ai le tronc près du cou.**
Comme tout le monde, j'ai le con près du trou.

• **J'aime lécher le confit d'oie !**
J'aime lécher le con dix fois !

• **Ce matin, les écoles sont verrouillées.**
Ce matin, les couilles sont vérolées.

• **L'électricien choisit les fils et les ampoules.**
L'électricien choisit les poules et les enfile.

• **L'éleveur de mouton tire de sa laine une maigre pitance.**
L'éleveur de mouton tire de sa pine une maigre laitance.

L'amour, toujours l'amour...

• **Une adolescente avoue à une copine :**
– Maintenant que j'ai mes règles, c'est plus comme avant...
– Qu'est-ce qui n'est plus comme avant ?
– Ben... Quand je fais l'amour, les bites n'ont plus le même goût !

• **Paris Hilton souhaite racheter le club de l'Olympique de Marseille.** Elle rêve d'entendre 60 000 personnes crier : « Paris ! Paris ! On t'encule ! »

• **Que dit Bill Clinton quand il a une tache sur sa cravate ?** Nom d'une pipe !

• **Une petite fille regarde par le trou de serrure de la chambre de ses parents, puis se dit :** « Et dire que l'on m'envoie voir le psychologue parce que je suce encore mon pouce ! »

• **Une adolescente rentre toute contente à la maison...**
– Papa, maman, ça y est : j'ai fait l'amour !
Le père qui n'y croit pas une seconde lui dit :
– C'est bien. Et tu recommences quand ?
– Je ne sais pas, répond-elle, ça fait quand même super mal au trou du cul !

• **Deux copines d'école se retrouvent après de nombreuses années.**
– Que deviens-tu ?
– Je viens de perdre mon troisième mari.
– Tu t'es mariée trois fois, et les trois sont morts ?
– Oui, les deux premiers sont morts après avoir mangé des champignons empoisonnés.
– Et le dernier ?
– D'un coup de rouleau à pâtisserie derrière la tête. Il ne voulait pas manger ses champignons...

• **C'est l'histoire d'un homme qui, depuis qu'il est marié, ne mange que des carottes.** Sa femme ne lui prépare que des carottes… Carottes Vichy… Purée de carottes… Carottes râpées… Carottes en julienne… Un jour, il craque :
— J'en ai marre de bouffer que des carottes ! Tu ne sais pas faire autre chose que des carottes ?
Et sa femme lui répond :
— Tant que tu baiseras comme un lapin, tu mangeras comme un lapin !
Fou de rage, l'homme balance tout ce qui est sur la table, attrape sa femme, lui arrache ses vêtements et lui dit :
— Ah ouais ? Alors je vais te montrer si je baise comme un lapin !!!
L'homme prend sa femme sur la table de la cuisine et, vingt secondes plus tard, lui demande :
— Alors, heureuse ?

• **Une petite fille sort de sa chambre et demande à sa maman :**
— Dis, maman, je peux tomber enceinte ?
— Bien sûr que non, tu n'as que douze ans !
La petite fille retourne alors dans sa chambre et crie :
— C'est bon les gars, vous pouvez remettre ça !

• **Un enfant tend un sucre à son chien…**
— Dis maman ! T'as vu ? Quand je donne un sucre à mon chien, il remue la queue !
— Oui. Donnes-en deux à ton père.

• **Un type qui vient de se marier explique à un de ses amis :**
— Je me suis marié parce que j'en avais marre de passer toutes mes journées au bistrot. Quelle tristesse…
— Et maintenant ?
— Bah… Maintenant, j'y vais avec joie !

• **Sur les conseils de sa femme, un homme qui souffre de sérieux problèmes d'érection avale une pilule de Viagra.** Le cachet ingurgité, les effets ne se font pas attendre et son sexe se dresse comme jamais sa femme n'aurait pu l'espérer ! Très excitée, elle s'empresse de se déshabiller et, alors qu'elle s'approche langoureusement de son mari, constate que le sexe retombe mollement... Son mari lui dit alors :
– Je t'avais prévenue : même droguée, elle te reconnaît !

• **Un couple de personnes âgées est assis sur le banc d'un jardin public.** Une jeune femme courtement vêtue passe devant lui et le vieux monsieur la regarde avec envie. Sa femme s'en aperçoit...
– Cochon, va ! Cesse de la dévorer !
– Bah... Faut bien que je me mette en appétit parce que ce soir, on dîne à la maison...

• **Une femme raconte ses vacances :**
– Cet été, nous sommes allés à Lourdes !
– Ah, et un miracle s'est-il produit ?
– Non, je suis rentrée de vacances avec mon mari...

• **Une femme fait coucou par la fenêtre à son mari qui part trois jours en voyage d'affaires.** Elle ouvre la fenêtre et crie :
– Au revoir ! Je t'aime ! Tu penseras à moi ?
– Oui, je vais y penser tout de suite, chérie, au cas où j'oublierais !

• **Un type dit à un ami :**
– J'ai vu ta femme, hier, elle est toujours aussi jolie !
– Oui... mais ça lui prend de plus en plus de temps !

• **Un vieux monsieur atteint de la maladie de Parkinson entre tout tremblotant dans une maison de passe.** L'homme demande à la tenancière :
– Je voudrais cinq filles !

– Cinq filles ? N'est-ce pas un peu trop pour votre âge, monsieur ?
– Je veux cinq filles ou rien du tout !
La tenancière fait donc signe à cinq filles d'accompagner le monsieur tremblotant jusqu'à une chambre. Les prostituées l'allongent ensuite sur le lit, le déshabillent très difficilement tellement il tremble, puis le monsieur demande :
– Alors... Voilà ce que je veux : toi, tiens-moi le bras gauche ! Toi, tiens-moi le bras droit ! Toi, tiens-moi la jambe gauche ! Toi, tiens-moi la jambe droite, et enfin toi, tu me grimpes dessus !
Les filles exécutent les ordres et se mettent chacune à leur poste. Le vieux monsieur dit alors :
– C'est bon, lâchez tout !!!

• **Un adolescent rédige un SMS...** Son père lui demande :
– À qui écris-tu ?
– À ma copine...
Le père soupire et dit :
– Moi aussi, quand j'étais jeune, avant de rencontrer ta mère, j'écrivais tous les jours à ma petite amie !
– Ah ouais ? Cool.
– Oui... Mais dommage que les SMS n'existaient pas à cette époque.
– Ouais. Pourquoi ?
– Parce qu'à force de lui écrire tous les jours, elle a fini par épouser le facteur...

• **Une femme dont c'est l'anniversaire découvre, en se levant, un cadeau posé sur sa table de nuit.** Son mari qui se lève tôt a eu cette délicate attention pour elle... Émue, elle ouvre le joli paquet et découvre, à l'intérieur, un bout de papier plié en quatre. Elle le déplie et lit : « Chérie, je te souhaite un bon anniversaire et beaucoup, beaucoup d'imagination ! »

• **Une femme se confie à une amie :**
– Hier soir, moi et mon mari sommes enfin parvenus à une parfaite harmonie sexuelle !
– Comment ça ? Raconte !
– Nous avions tous les deux la migraine !

• **Un jeune couple voyage en train et partage le compartiment avec une vieille dame.** Le train s'engage sous un tunnel et, lorsqu'il en ressort, le gars dit à l'oreille de sa femme :
– Merci pour la petite pipe... Au prochain tunnel, je te fais un cunnilingus !
– Hein !? Mais je ne t'ai rien fait !

• **Pour changer la fermeture Éclair du pantalon de son mari, une femme emprunte celle d'un vieux pantalon d'enfant.** Lorsque le mari essaye le pantalon, il lui en fait la remarque :
– Mais !? La fermeture Éclair est toute petite ?
– Et alors ! lui répond sa femme. Tu m'as bien toujours dit qu'il était inutile d'ouvrir en grand les portes du garage pour sortir mon petit vélo, non ?

• **Une femme se regarde dans le miroir et dit à voix haute :**
– Pfff... Qu'est-ce que je vieillis !
– Eh oui ! fait son mari, on ne peut pas être et avoir été !
– Faux ! rétorque la femme. On peut être con et l'avoir toujours été !

• **Une femme soupire...**
– Qu'as-tu ? lui demande son mari.
– Je regrette de ne pas être un homme...
– Ah bon !?
– Oui... Quand je songe au plaisir que je pourrais faire à ma femme en lui offrant des nouvelles chaussures !

• **Une femme apporte aux objets trouvés un magnifique bracelet en or.**
– Madame, si personne ne vient réclamer ce bracelet d'ici un an et un jour, vous pourrez venir le récupérer... C'est vraiment un très beau bracelet. Où l'avez-vous trouvé ?
– À Paris, sur le trottoir, je ne me souviens plus dans quelle rue.
– Quand l'avez-vous trouvé ?
– Il y a cinq ans.
– Quoi ! Et pourquoi ne l'apportez-vous que maintenant ?
– Parce que dessus, il est gravé : « À toi pour la vie ! »

• **Un homme reproche à sa femme d'être trop dépensière et tente de le lui faire comprendre en finesse :**
– Tu sais, chérie, que c'est pendant les soldes que l'on réalise les meilleures affaires ?
– Oui, répond-elle. D'ailleurs, je me dis toujours que j'aurais dû attendre les soldes avant de choisir un mari !

• **Une femme confie à une amie :**
– Quand je me dispute avec mon mari, j'envoie toujours les enfants jouer dehors.
– Tu as raison ! D'ailleurs, ils ont une mine superbe, on voit qu'ils respirent souvent le bon air !

• **Une petite fille de 12 ans dit à sa copine de 9 ans :**
– Regarde ! Il y a un préservatif sous la véranda !
– C'est quoi une véranda ?

• **Une femme riche demande à son époux :**
– Chérie, m'aimes-tu par amour ou par intérêt ?
– Par amour, comment peux-tu en douter ! Il y a longtemps que tu ne m'intéresses plus...

• **Un couple se dispute...**
– Quelle idiote j'ai été le jour où je t'ai épousé !

– Oui ! Et moi, j'étais tellement aveuglé par l'amour que je m'en suis même pas aperçu !

• **Un couple se couche.** La femme qui est en manque de câlins dit à son mari :
– Brrrr ! Chéri, j'ai froid...
Le mari se lève et lui rapporte une couverture. Un moment plus tard, elle fait une nouvelle tentative...
– J'ai des douleurs dans la nuque, peut-être qu'un massage...
Le mari se lève et lui rapporte un oreiller supplémentaire. Quelques instants plus tard, la femme dit :
– Quand j'étais petite, ma mère me faisait des câlins pour m'endormir...
– Dis, tu ne veux tout de même pas que j'aille chercher ta mère à cette heure-ci, non !

• **François et Antoine partent faire une randonnée à skis.** Malheureusement, ils se font surprendre par une tempête de neige qui les oblige à frapper à la porte d'une ferme isolée afin de demander asile pour la nuit. Une vieille fermière les accueille volontiers. Elle propose que l'un dorme sur le canapé et l'autre sur le tapis devant la cheminée... Le lendemain, François et Antoine remercient chaleureusement la vieille fermière et reprennent leur route. Quelques mois plus tard, Antoine reçoit une lettre chez lui. Aussitôt après l'avoir lue, il s'empresse de se rendre chez son ami François.
– Dis-moi, François... Tu te souviens de notre randonnée, cet hiver ?
– Oui, très bien.
– Et de cette vieille femme qui nous a hébergés pour la nuit aussi ?
– Heu... Oui. Pourquoi ?
– Est-ce que... par le plus grand des hasards, ou peut-être parce que tu dormais sur le tapis, tu n'es pas allé la rejoindre dans son lit ? Pour mieux dormir, bien entendu !
– Eh bien... Oui, c'est vrai !

– Et... de fil en aiguille... est-ce que tu n'aurais pas eu un rapport sexuel avec elle ?

– Je... Je...

– Ne mens pas, c'est très important !

– Oui... Je... Je sais pas ce qui m'a pris, le vin chaud peut-être...

– Dis-moi toute la vérité. Après lui avoir fait l'amour, as-tu usurpé mon identité ? Lui as-tu fait croire que tu t'appelais Antoine et lui as-tu donné mon adresse ?

– Je suis désolé... C'est vrai. J'avais honte, je ne savais pas quoi faire. Mais pourquoi me dis-tu tout cela ?

– Parce que je viens de recevoir un courrier de son avocat ! Elle est morte et j'hérite de tout !

• **Dans un night-club, une fille invite son copain à prendre un verre.** Elle commande un whisky-Coca pour elle et un Bailey avec un jus de citron à part pour lui.

– Qu'est-ce que tu m'as commandé ? s'étonne le gars.

– Un Bailey avec un jus de citron à part ! Tu vas voir, tu vas être étonné !

– J'connais pas...

Le barman sert les boissons et la fille initie son copain à la manière de déguster la sienne :

– Tu prends une gorgée de Bailey et tu la gardes dans ta bouche. Ensuite, tu prends une gorgée de jus de citron et tu gardes le tout le plus longtemps possible dans ta bouche !

Son copain prend donc une gorgée de Bailey et semble apprécier le goût sucré, alcoolisé de cette douce et épaisse crème. Puis il met du jus de citron dans sa bouche et... fait une terrible grimace. La crème s'est caillée, le goût est devenu amer et écœurant. Il a des haut-le-cœur, il a envie de tout recracher, mais comme il ne peut pas, il décide d'avaler. L'envie de vomir le reprend, il court aux toilettes pour rendre et se rincer la bouche. Lorsqu'il revient au bar, il demande furieux à sa copine :

– Qu'est-ce que c'est que cette merde que tu m'as fait boire ! Comment s'appelle ce cocktail ?

Et la fille lui dit doucement à l'oreille :
– Ça s'appelle « la revanche de la pipe » !

• **L'amour, c'est comme l'arrivée du tiercé : 3-9-1.**
3 minutes de plaisir
9 mois d'attente
1 de plus à table !

• **Un vieux monsieur se présente chez son notaire afin que ce dernier change ses dispositions testamentaires.**
– Finalement, je ne souhaite plus déshériter ma femme. Je souhaite qu'elle hérite de tout ce que je possède.
– Bien, je vais rédiger un nouveau testament.
– Par contre, je souhaite ajouter une condition à la réalisation de cette disposition...
– Quelle est-elle ?
– ... Que ma femme épouse notre voisin dans les trois mois qui suivront ma mort !
– Pourquoi cette condition ?
– Je sais que mon voisin, qui est célibataire, est très épris d'elle et que ma femme le trouve répugnant et con. Mais comme ça, je suis sûre qu'elle regrettera ma mort !

• **Un type ramène un copain à la maison.** En entrant, l'homme embrasse tendrement sa femme et lui dit :
– Bonjour, mon amour ! Tu m'as manqué toute la journée. Tu es de plus en plus belle, tu sais.
Un peu plus tard, son copain lui demande :
– Tu as l'air de beaucoup l'aimer, ta femme !
– Oui. Il y a encore deux mois de cela, quand je rentrais du travail, je lui lançais juste un : « Salut, c'est moi ! » Notre couple battait sérieusement de l'aile. Alors j'ai décidé de prendre sur moi, de faire un effort. Depuis que je fais attention à elle, que je suis plus tendre avec elle, notre amour est redevenu tel qu'il était au premier jour !
– Vous avez de la chance...
– Mais, toi aussi, tu devrais essayer avec ta femme !

– Tu crois ?

– Absolument !

Le soir même, en rentrant chez lui, le copain court embrasser sa femme en lui disant :

– Bonjour, mon amour ! Tu m'as manqué toute la journée. Tu es de plus en plus belle !

Mais sa femme éclate en sanglots.

– Bah, qu'est-ce que j'ai dit ?

– Ce n'est vraiment pas ma journée. Ta mère a téléphoné pour dire qu'elle venait dîner dimanche, notre fils s'est cassé un bras à l'école et toi, tu rentres bourré !

• **Une femme porte un joli pendentif autour du cou.** Une amie le remarque...

– J'en ai un qui ressemble beaucoup au vôtre ! À l'intérieur, j'y ai mis une photo de mon fils. Et vous ?

– Moi, j'ai mis une mèche des cheveux de mon mari.

– Mais !? Il est toujours de ce monde ?

– Oui, mais plus ses cheveux...

• **Un homme se rend chez son notaire afin de modifier ses dernières volontés...**

– Que souhaitez-vous modifier dans votre testament ? lui demande le notaire.

– Je ne souhaite plus être enterré dans le caveau familial : je veux être incinéré, et que mes cendres soient dispersées dans la mer !

– Très bien. Puis-je vous demander ce qui vous a fait changer d'avis ?

– C'est ma femme : elle n'arrête pas de dire qu'après ma mort elle ira danser sur ma tombe !

Franck Ribéry & Zahia...

• **De retour de la Coupe du monde, Raymond Domenech se promène sur les Champs-Élysées déguisé en maharadjah pour ne pas être reconnu...** Une vieille dame qui sortait discrètement du Zaman café l'interpelle :
– Eh, Raymond ! Comment ça va, Raymond ?
Raymond Domenech s'enfuit en courant et part revêtir un autre déguisement. Une heure plus tard, il revient se promener sur les Champs-Élysées déguisé en prêtre. La vieille dame l'aperçoit de nouveau et l'interpelle encore :
– Eh, Raymond ! Salut Raymond !
– Chuuuuuut ! fait Domenech. Mais comment faites-vous pour me reconnaître, madame ?
– Ben... Tu m'reconnais pas, coach ? C'est moi, Ribéry !

• **Franck Ribéry entre sur le terrain en croisant les jambes.**
– Pourquoi croises-tu les jambes ? lui demande l'entraîneur.
– Ben... Je me suis trompé dans les vestiaires, j'ai inversé mes chaussures de pied !

• **Quand Zahia cesse-t-elle d'avoir une relation amoureuse avec un joueur de l'équipe de France ?**
Quand le suivant tape sur l'épaule du gars.

• **Que dit Zahia après l'amour ?**
Au fait ! Vous jouez tous dans la même équipe ?

• **Franck Ribéry dit à son entraîneur :**
– Moi, j'ai jamais eu un rhume de cerveau !
– Certainement... lui répond l'entraîneur. Tout comme les manchots n'ont jamais mal aux doigts.

• **Franck Ribéry engueule Yoann Gourcuff :**
– Pourquoi que t'as dit à tout le monde que j'étais un con ?
– Pardonne-moi, j'aurais dû me douter que tu pensais qu'il s'agissait d'un secret...

• **Que dit Zahia après avoir eu plusieurs orgasmes ?**
Ça va être l'heure de votre match maintenant, les gars !

• **Quelle différence y a-t-il entre les cuisses d'un homme et celles de Zahia ?**
Entre les cuisses d'un homme, c'est toujours la même paire...

• **Franck Ribéry écrit un SMS.**
– À qui tu écris ? lui demande Nicolas Anelka.
– À moi !
– Ah ? Et qu'est-ce que tu t'écris ?
– Bah... J'sais pas, je l'ai pas encore reçu !

• **Laurent Blanc demande à Franck Ribéry :**
– Tu as pris une douche ?
– Heu... non. Pourquoi, il en manque une ?

• **Laurent Blanc explique à Franck Ribéry la loi de la gravitation afin qu'il améliore ses reprises de volée.**
– Bon. Tu as compris, Franck ?
– Oui ! Mais... quand est-ce qu'elle a été votée cette loi ?

• **Franck Ribéry se met devant un miroir et ferme les yeux.**
– Qu'est-ce que tu fais ? lui demande sa femme.
– Bah... Je voulais voir la tête que j'ai quand je dors !

• **Laurent Blanc dit à Franck Ribéry :**
– Cette année, je prends des vacances à cheval sur juillet et août. Et toi ?
– Bah... moi aussi, mais en avion...

• **Quelle différence y a-t-il entre Zahia et une boule de bowling ?**
On ne peut mettre que trois doigts dans une boule de bowling...

• Quelle différence y a-t-il entre Zahia et une paire de testicules ?
Zahia détient un nombre supérieur de spermatozoïdes.

• À la plage, Laurent Blanc a lancé un pari à Franck Ribéry et Patrice Evra :
– J'offre le brassard de capitaine à celui de vous deux qui restera le plus longtemps sous l'eau !
Depuis, on recherche toujours les corps des deux cadavres...

• Franck Ribéry demande à un pote :
– Comment il va ton bébé ?
– Très bien, merci. Il marche maintenant !
– Ah bon ? Depuis quand que ça fait qu'il marche ?
– Oh... Ça doit faire trois mois.
– Oh, putain ! Il doit être super loin maintenant !

• Franck Ribéry va chercher son fils à l'école. La maîtresse s'adresse à Ribéry :
– J'avais demandé que tous les enfants viennent à l'école avec une mini-encyclopédie... Votre fils m'a dit que vous ne vouliez pas ?
– Ah non ! Il ira à l'école à pied, comme tout le monde !

• Pourquoi Franck Ribéry siffle-t-il mieux que n'importe qui ?
Parce qu'il a une cervelle d'oiseau....

• Qu'est-ce qu'un grain de beauté sur les couilles de Franck Ribéry ?
Une tumeur au cerveau !

• Quelle différence y a-t-il entre une brosse à dents et Zahia ?
Une brosse à dents, ça ne se prête pas !

• **Quel point commun y a-t-il entre une palissade et Zahia ?**
On n'a pas besoin de leur dire « je t'aime » pour les sauter.

• **Pourquoi Franck Ribéry tourne-t-il autour de la télévision lorsqu'il y a un match de foot retransmis ?**
Il cherche les poignées du baby-foot !

• **Pourquoi Franck Ribéry ne prend-il que des douches froides ?**
Parce qu'il n'a pas inventé l'eau chaude !

• **Pourquoi Franck Ribéry prend-il soit des bains d'eau froide, soit des bains d'eau chaude ?**
Parce qu'il ne trouve pas le robinet d'eau tiède !

• **Pourquoi le cerveau de Franck Ribéry est-il aussi gros qu'un petit pois, le matin ?**
Parce qu'il gonfle pendant la nuit !

• **Pourquoi Zahia ne porte-t-elle que de grosses culottes ?**
Pour avoir chaud aux chevilles !

• **Pourquoi Zahia rêve-t-elle de faire du ski nautique ?**
Pour avoir les jambes écartées, la chatte mouillée et se faire tirer par une vedette !

• **Pourquoi Dieu a-t-il fait les blondes si jolies ?**
Pour s'excuser d'avoir oublié leur cerveau.

• **… Et pourquoi Dieu a-t-il fait Ribéry si moche ?**
Parce qu'il ne voulait pas s'excuser une seconde fois…

• **Franck Ribéry souffre d'un genou.**
– Tu as déjà été opéré ? lui demande le médecin.
– Oui.
– Et de quel côté ?
– Heu… Du côté de Munich !

• **Franck Ribéry, qui souffre de douloureux maux de tête, passe un scanner...**
– Alors, docteur ! Que montrent mes radios de la tête ?
– Que vous n'avez rien...

• **Zahia se rend chez son gynécologue :**
– Vous perdez beaucoup pendant vos règles ? lui demande-t-il.
– Oh, oui ! Environ 2 000 euros par jour !

• **Pourquoi Zahia préfère-t-elle les voitures décapotables ?**
Parce qu'il y a plus de place pour lever les jambes...

• **Franck Ribéry n'est pas content et ramène sa BMW chez le concessionnaire.**
– La voiture, elle fait du bruit !
– Ah ? Et d'où provient-il ?
– C'est à cause du silencieux du pot, il fait du bruit !
– Le silencieux fait du bruit... Mais c'est un paradoxe !
– M'en fous de la marque, moi ! Il fait du bruit !

• **Quel point commun y a-t-il entre la perte d'un être cher et Franck Ribéry qui a mal à la tête ?**
Dans les deux cas, on parle d'un vide douloureux...

• **Franck Ribéry et Patrice Evra doivent se rendre à l'entraînement.** Le premier demande au second :
– Tu connais la différence entre un bus et un taxi ?
– Oh, toi et tes blagues ! Bah... J'sais pas !
– Alors qu'est-ce qu'on fait, on y va à pied ?

• **Pourquoi Zahia se rend-elle au cinéma avec 18 joueurs de l'équipe de France ?**
Pour voir des films interdits aux moins de 18 !

• **Pourquoi Zahia a-t-elle écrit le chiffre « 1 » et la lettre « A » au-dessus de son lit ?**
Pour se souvenir quoi crier pendant qu'elle fait l'amour !

• Quelle différence y a-t-il entre du Canigou et Franck Ribéry ?
Dans le Canigou, il y a de la cervelle !

• Quelle différence y a-t-il entre Franck Ribéry et les betteraves ?
Les betteraves sont cultivées.

• Franck Ribéry invite Zahia dans un restaurant de fruits de mer. Zahia commande une douzaine d'huîtres. Alors qu'elle s'apprête à en gober une, elle dit :
– Tu sais que ça doit avoir un QI égal à 0 ?
– Je sais... lui répond l'huître.

• Quel point commun y a-t-il entre un ascenseur et Zahia ?
Tu mets ton doigt où t'habites.

• Pourquoi, en Afrique du Sud, tout le monde appelait Franck Ribéry « le SDF » ?
Parce que c'est celui à qui il manque une case !

• Que se passe-t-il quand Franck Ribéry sort des vestiaires ?
Le QI général moyen remonte !

• Qu'est-ce que Yoann Gourcuff coincé entre Franck Ribéry et William Gallas ?
Une tranche de cervelle.

• Pourquoi Zahia ne sort-elle pas à Noël ?
Parce que c'est la période où on mange les dindes !

• Pourquoi Zahia masse-t-elle les testicules avant de faire une fellation ?
Pour éviter les grumeaux.

TOUT LE MONDE SE FOUTENT DE NOUS DANS LE MONDE... Y'A QUELQU'UN QUI VA RÉPÉTER DES CHOSES...

...DES CHOSES QUI ONT ÉTÉ DITES DE L'EXTÉRIEUR, C'EST DES CHOSES QUE C'EST PAS NORMAL DES CHOSES COMME CA !

J'DEMANDE PARDON A TOUTE NOTRE PAYS, SURTOUT A TOUS LES FRANCAIS... DE QUOIQUE CE SOIT ! S'CUSEZ...

FRANCK RIBÉRY, COMMENT EXPLIQUEZ-VOUS CETTE SITUATION ALORS QUE LE FOOT VOUS A TANT APPORTÉ ?

BEN... C'EST VRAI QUE LE FOOT, IL M'A APPORTÉ PARTOUT DANS LE MONDE.

J'VOYAGE TOUT LE TEMPS !

VOUS DEVEZ DONC BIEN CONNAÎTRE LA GÉOGRAPHIE...

AH NON... ÇA, J'AI JAMAIS ÉTÉ !

D.Truchi

• Qu'est-ce qui est long et dur pour Franck Ribéry ?
Penser.

• Comment Franck Ribéry fait-il rire Patrice Evra le lundi matin ?
En lui racontant une blague le vendredi soir.

• Quel point commun y a-t-il entre Franck Ribéry et une bouteille ?
Il y a un espace vide au-dessus du cou...

• Dans une discothèque, Zahia et une copine dansent sur le comptoir du bar.
– Qu'est-ce que tu fais pendant tes pauses ? demande Zahia.
– Rien de particulier... Je fume une cigarette... Et toi ? interroge la copine.
– Moi, je m'assois dans le sel !
– Tu t'assois dans le sel ?
– Oui, le patron m'a dit que le sel, ça désinfecte et ça fait boire les clients !

• Quel point commun y a-t-il entre une blonde et Zahia ?
Les deux s'épanouissent au bout d'une tige.

• Comment appelle-t-on quelqu'un qui a un QI de 40 ?
« Hé ! Ribéry ! »

• Qu'a déclaré Franck Ribéry après la défaite de la France ?
J'arrête tout, je retourne jouer au foutre !

• À quoi reconnaît-on un Franck Ribéry heureux qui a fait un tour de terrain en courant super vite ?
Aux moustiques collés sur ses dents !

• Quelle différence y a-t-il entre Zahia et les joueurs de l'équipe de France ?
En une heure trente, Zahia arrive à aligner plus de trois passes !

• **Quelle différence y a-t-il entre Zahia et un flipper ?**
Avec le flipper, tu mets la pièce dans la fente et tu joues avec les mains, et avec Zahia c'est le contraire...

• **Lors de la Coupe du monde 2010, Patrice Evra, Thierry Henry et Franck Ribéry font des emplettes dans un township africain.** Chacun décide de rapporter un petit cadeau à son épouse. Patrice Evra achète un collier avec un foulard et dit :
– Si le collier ne lui plaît pas, eh bien... elle n'aura qu'à mettre le foulard par-dessus pour le cacher !
Thierry Henry achète un chemisier et un pull, puis se justifie :
– Si elle n'aime pas le chemiser, ben... elle pourra mettre le pull pour le cacher !
Quant à Ribéry, il achète un chapeau et une capote, puis dit :
– Si le chapeau, elle aime pas, eh bien... elle a qu'à aller se faire foutre !

• **En Afrique du Sud, les joueurs de l'équipe de France sortent de leur hôtel pour faire un jogging.** À peine ont-ils parcouru quelques mètres qu'ils tombent nez à nez avec un lion affamé. À sa vue, tous les joueurs font demi-tour et sprintent jusqu'à l'hôtel, où ils se réfugient. Tous, sauf Franck Ribéry qui se met à courir autour de l'hôtel... Le lion le prend alors en chasse et se rapproche dangereusement de lui. Patrice Evra ouvre une fenêtre et hurle en direction de Ribéry :
– Fais gaffe ! Le lion n'est plus qu'à quelques mètres de toi !
Et Ribéry lui répond :
– T'inquiète pas, j'ai deux tours d'avance !

• **Que signifie FFF pour Ribéry, Malouda et Benzema ?**
Fédération française de foutre !

• **Quelle différence y a-t-il entre le beurre qui sort du frigo et Zahia ?**
Le beurre qui sort du frigo est plus difficile à étendre !

• Quelle différence y a-t-il entre Zahia et un moustique ?
Les moustiques ne te sucent que l'été !

• Pourquoi Ribéry s'assoit-il toujours les jambes écartées sur le banc de touche ?
Pour laisser respirer son cerveau !

• Avec quel ballon Franck Ribéry joue-t-il le mieux ?
Avec ceux de Zahia...

• À la mi-temps, Franck Ribéry sort des vestiaires pour aller pisser dehors... Lorsqu'il revient, l'entraîneur constate qu'il est tout mouillé.
– Merde, il pleut !? demande-t-il à Ribéry.
– Non, y'a trop de vent...

• Raymond Domenech a conseillé à Laurent Blanc de remplacer Hugo Lloris par Zahia. En effet, seule Zahia est capable d'arrêter deux ballons en même temps tout en faisant baver l'avant-centre...

• Quel point commun y a-t-il entre une tortue et Zahia ?
Elles agitent les jambes quand on les retourne !

• Ribéry envisage d'aller jouer à l'OM. Avec sa femme et leur fils, il se promène sur le Vieux-Port...
– Eh, papa ! T'as vu ce gros bateau !
– Heu... C'est pas un bateau, c'est un yacht ! lui répond Ribéry.
– Ah ? Et comment ça s'écrit « yacht » ?
– Bah... T'as qu'à demander à ta mère, laisse-moi regarder lequel que je vais acheter !
– Maman ! Comment ça s'écrit un « yacht » ?
– Ton père est un idiot : tu avais raison, c'est un gros bateau...

• Quel est le plat préféré de Ribéry ?
La dinde fourrée.

• Afin de faire une bonne blague, Franck Ribéry se met à pousser le mur des vestiaires pour le faire tomber. Qui du mur ou de Franck Ribéry va céder le premier ?
Le mur, car c'est toujours le plus intelligent qui cède le premier !

• Ribéry arrive en retard au stade et le match auquel il devait participer est déjà terminé... Il arrive en courant dans les vestiaires alors que ses coéquipiers sont en train de se rhabiller.
– J'ai trop les boules, j'ai loupé le match ! dit Ribéry.
Combien qu'y a eu ?
– 0-0 ! lui répond l'entraîneur.
– Ah ? Et combien qu'y avait à la mi-temps ?

• Qu'a fait Ribéry après avoir gagné la Coupe du monde ?
Il a éteint sa PS3 !

• Quels sont les mots que Franck Ribéry craint le plus d'entendre quand il fait l'amour ?
Chérie, je suis de retour !

• De quelle couleur sont les poils pubiens de Zahia ?
Vous avez déjà vu de la mauvaise herbe pousser sur l'autoroute ?

• Qu'y a-t-il de plus irritant autour du vagin de Zahia ?
Les autres gars qui attendent !

• Quelle est la devise de Franck Ribéry quand il fait l'amour ?
Droit au but et sans les mains !

• ... Et quelle est la devise de Thierry Henry quand il fait l'amour ?
Droit au but mais avec les mains !

• Avant d'entrer sur le terrain avec ses partenaires de l'équipe de France, Franck Ribéry a pris l'habitude de lécher les cheveux de tous ses coéquipiers. Très agacé par ce rituel, Patrice Evra finit par lui demander :
– Pourquoi tu nous lèches les cheveux comme ça ? Ça ne nous porte pas bonheur, on n'arrête pas de perdre !
– Bah... C'est Zahia, elle m'dit tout le temps : « Lèche-moi la touffe, ça va finir par entrer ! »

• Pourquoi Ribéry raconte-t-il des histoires drôles aux ballons ?
Pour les faire éclater de rire !

• Franck Ribéry décide de laver son linge sale. Comme il n'a jamais fait fonctionner la machine à laver, il téléphone à sa femme :
– Allô, Wahiba ! Comment que je fais pour laver mon maillot dans cette machine ?
– Ça dépend, lui répond-elle. Qu'y a-t-il d'écrit sur le maillot ? Quel symbole y a-t-il de dessiné ?
– Bah... Y'a écrit « FFF » avec un coq et puis une étoile...

• Un arbitre a porté plainte au commissariat, car un joueur de l'équipe de France lui a baissé son short dans les couloirs des vestiaires. Les onze joueurs de l'équipe de France sont convoqués au commissariat et alignés contre un mur pour être confrontés à la victime chargée de reconnaître son « agresseur ». L'arbitre se présente donc face aux joueurs... Ribéry s'avance alors en désignant l'arbitre du doigt et en disant :
– C'est lui, m'sieur le policier ! Je le reconnais !

• **Lors d'un déplacement dans la principauté monégasque, les joueurs de l'équipe de France visitent le grand aquarium.** En désignant un poisson du doigt, le guide leur explique que, selon une légende, il suffirait de fixer cette espèce de poisson droit dans les yeux pour parvenir à lui transférer son intelligence ! Amusés, les joueurs français se mettent à fixer le poisson droit dans les yeux. Deux minutes plus tard, Franck Ribéry se met à frétiller par terre...

• **Pourquoi Franck Ribéry raconte-t-il des blagues ?**
Parce que Thierry Henry...

• **Quelle différence y a-t-il entre le cerveau de Franck Ribéry et une olive ?**
La couleur !

• **Pourquoi Franck Ribéry baisse-t-il la tête avant de tirer un coup franc ?**
Pour que leurs deux neurones se mettent en contact !

• **Ribéry n'est pas content :**
– Fabien Barthez ne m'a jamais rendu mon peigne !

M. et Mme ont un fils

• M. et Mme **Ailédan** ont une fille et un fils. Comment les appellent-ils ?
Julie et Nick (Je lui ai niqué les dents)

• M. et Mme **Haissedéplume** ont un fils. Comment l'appellent-ils ?
Gilles (J'y laisse des plumes)

• M. et Mme **Ailpaké** ont un fils. Comment l'appellent-ils ?
Jim (J'y mets le paquet)

• M. et Mme **Chonmaixite** ont un fils. Comment l'appellent-ils ?
Lenny (Les nichons m'excitent)

• M. et Mme **Aleurpour-Hunefoa** ont une fille. Comment l'appellent-ils ?
Ondine (On dîne à l'heure pour une fois !)

• M. et Mme **Alizan** ont un fils. Comment l'appellent-ils ?
Gaspar (Gaz paralysant)

• M. et Mme **Choncémieukun** ont un fils. Comment l'appellent-ils ?
Denis (Deux nichons, c'est mieux qu'un)

• M. et Mme **Amènungropul** ont une fille et trois fils. Comment les appellent-ils ?
Ruddy, Véra, Roméo, Tibère (Rude hiver à Rome et au Tibet, ramène un gros pull)

• M. et Mme **Banilon** ont deux fils. Comment les appellent-ils ?
Jeff, Philémon (J'ai filé mon bas nylon)

• M. et Mme **Anatadikoi** ont un fils. Comment l'appellent-ils ?
Hassan (À sa nana t'as dit quoi ?)

• M. et Mme **Chynoise** ont une fille. Comment l'appellent-ils ?
Ambre (Ombre chinoise)

• M. et Mme **Anbois** ont un fils. Comment l'appellent-ils ?
Barack (Baraque en bois)

• M. et Mme **Anfaillitte** ont une fille. Comment l'appellent-ils ?
Mélusine (Mets l'usine en faillite)

• M. et Mme **Baise** ont un fils. Comment l'appellent-ils ?
Théo (T'es obèse)

• M. et Mme **Atrovitute-Plante** ont un fils. Comment l'appellent-ils ?
Steve (Si tu vas trop vite, tu te plantes)

• M. et Mme **Aze** ont une fille. Comment l'appellent-ils ?
Hélène (Elle est naze)

• M. et Mme **Barénorme** ont une fille et un fils. Comment les appellent-ils ?
Ella, Denis (Elle a deux nibards énormes)

• M. et Mme **Aiting** ont un fils. Comment l'appellent-ils ?
Marc (Marketing)

• M. et Mme **Encolunoukoi** ont une fille. Comment l'appellent-ils ?
Julie (Je lui en colle une ou quoi !)

• M. et Mme **Aivideu-Folramplir** ont un fils. Comment
l'appellent-ils ?
Sylvère (Si le verre est vide, faut le remplir)

• M. et Mme **Bulair** ont une fille. Comment l'appellent-ils ?
Patty (Patibulaire)

• M. et Mme **Ajumide** ont un fils. Comment l'appellent-ils ?
Karl (Carrelage humide)

• M. et Mme **Bolémol** ont une fille. Comment l'appellent-
ils ?
Maggie (Ma guibole est molle)

• M. et Mme **Akelk-Chose** ont un fils. Comment l'appellent-
ils ?
Serge (Sers-je à quelque chose ?)

• M. et Mme **Alataite** ont un fils. Comment l'appellent-ils ?
Djémal (J'ai mal à la tête)

• M. et Mme **Caman** ont un fils. Comment l'appellent-ils ?
Médhi (Médicament)

• M. et Mme **Anldo** ont une fille et un fils. Comment les
appellent-ils ?
Ella, Fred (Elle a frais dans le dos)

• M. et Mme **Cléssoulaporte** ont une fille. Comment
l'appellent-ils ?
Jémila (J'ai mis la clef sous la porte)

• M. et Mme **Azil** ont une fille. Comment l'appellent-ils ?
Claire (Clearasil)

• M. et Mme **Bou** ont une fille. Comment l'appellent-ils ?
Carie (Caribou)

• M. et Mme **Aipaleursteuplé** ont un fils. Comment l'appellent-ils ?
Thor (T'aurais pas l'heure, s'il te plaît ?)

• M. et Mme **Como de Laireste** ont une fille. Comment l'appellent-ils ?
Elsa (Elles accommodent les restes)

• M. et Mme **Conné** ont une fille. Comment l'appellent-ils ?
Sandie (Sans déconner ?)

• M. et Mme **Ansunik** ont un fils. Comment l'appellent-ils ?
Hans (En sens unique)

• M. et Mme **Arofré** ont un fils. Comment l'appellent-ils ?
Melrick (Mets le Ricard au frais)

• M. et Mme **Daiployet** ont trois fils. Comment les appellent-ils ?
Jerry, Al, Georges (Je ris à gorge déployée)

• M. et Mme **Dairata** ont une fille. Comment l'appellent-ils ?
Daisy (Desiderata)

• M. et Mme **Coman-Massoir** ont un fils. Comment l'appellent-ils ?
Sanchez (Sans chaise, comment m'asseoir ?)

• M. et Mme **Bofraire** ont deux filles et deux fils. Comment les appellent-ils ?
Sheila, Sim, Camille, Edmond (C'est la Simca 1000 de mon beau-frère)

• M. et Mme **Danlku** ont deux filles et un fils. Comment les appellent-ils ?
Irma, Rémy, Sabine (Il m'a remis sa pine dans le cul)

• M. et Mme **Astouhé-Jeurecomance** ont un fils. Comment l'appellent-ils ?
Jeff (J'efface tout et je recommence)

• M. et Mme **De Loracekilparé** ont une fille et un fils. Comment les appellent-ils ?
Yves, Audrey (Il vaudrait de l'or, à ce qu'il paraît...)

• M. et Mme **Gole** ont deux filles. Comment les appellent-ils ?
Ella, Valérie (Elle avale et rigole)

• M. et Mme **Diplubonjour** ont une fille et trois fils. Comment les appellent-ils ?
Ben, Al, Laure, Hans (Ben alors ? On se dit plus bonjour ?)

• M. et Mme **Encor** ont un fils. Comment l'appellent-ils ?
Henri (On rit encore)

• M. et Mme **Dikulisai** ont une fille. Comment l'appellent-ils ?
Valérie (Va les ridiculiser)

• M. et Mme **Ginalaimieu** ont une fille. Comment l'appellent-ils ?
Lorie (L'original est mieux)

• M. et Mme **Dikultusé** ont un fils. Comment l'appellent-ils ?
Terry (T'es ridicule, tu sais ?)

• M. et Mme **Enculbien** ont un fils. Comment l'appellent-ils ?
Akim (Ah, qu'il m'encule bien !)

• M. et Mme **Esprit** ont une fille. Comment l'appellent-ils ?
Maude (Mot d'esprit)

• M. et Mme **Dovinblan** ont une fille. Comment l'appellent-ils ?
Marina (Marinade au vin blanc)

• M. et Mme **Fly** ont trois fils. Comment les appellent-ils ?
Abdul, Yves, Akim (*I believe I can fly !!!*)

• M. et Mme **Duachiche** ont un fils. Comment l'appellent-ils ?
Yvan (Il vend du haschich)

• M. et Mme **Fairandézotre** ont un fils. Comment l'appellent-ils ?
Teddy (T'es différent des autres)

• M. et Mme **De Tasseur** ont un fils. Comment l'appellent-ils ?
Alex (Ah, l'ex de ta sœur !)

• M. et Mme **Delacadaimi** ont une fille et un fils. Comment les appellent-ils ?
Laure, Hector (Le recteur de l'académie)

• M. et Mme **Goudy** ont deux filles. Comment les appellent-ils ?
Jaimie, Debbie (J'ai mis des bigoudis)

• M. et Mme **Hairgébel** ont un fils. Comment l'appellent-ils ?
Octave (Oh, que ta verge est belle !)

• M. et Mme **Deudoi** ont une fille et un fils. Comment les appellent-ils ?
Jaimie, Juste (J'ai mis juste deux doigts)

• M. et Mme **Hairoparties** ont un fils. Comment l'appellent-ils ?
Jade (J'adhère aux parties)

Ces chères têtes blondes...

• **La maîtresse interroge le petit Rémy :**
– Par quelle lettre commence « hier » ?
– Par un « D », madame !
– Par un « D » ? Tu en es certain ?
– Ben oui, hier, on était dimanche !

• **Un couple et son enfant sont invités à dîner chez des amis.** Au moment du dessert, le petit semble avoir beaucoup apprécié le gâteau au chocolat et se sert une seconde part sans rien demander. Sa mère le réprimande :
– Mais enfin ! Tu n'as pas de langue ?
– Si mais... mon bras est plus long !

• **Un adolescent ne cesse de réclamer un scooter.** Sa mère tente de lui expliquer qu'ils n'ont pas les moyens de lui offrir un tel cadeau :
– Non mais tu ne te rends pas compte ? Ton père doit travailler pendant trois mois pour t'offrir un scooter !
– Bah... C'est bon alors ! Mon anniversaire est dans quatre mois !

• **Une adolescente trouve un sac à main dans un grand magasin.** Elle le rapporte au « point accueil » où, justement, la propriétaire du sac était en train de signaler sa perte.
– Oh, merci mademoiselle ! Vraiment, cela fait plaisir d'avoir encore affaire à des gens honnêtes ! Mille mercis !
Alors que la femme s'apprête à repartir avec son sac, la jeune fille lui demande :
– Vous ne vérifiez pas s'il manque quelque chose ?
– Vous croyez ?
– Ben... On ne sait jamais !
– Vous avez raison, quelqu'un a pu le fouiller avant que vous ne me le rapportiez...
La femme regarde dans son sac, prend son portefeuille et en vérifie le contenu...
– Mais !? fait-elle surprise. J'avais un billet de 50 euros et maintenant j'ai deux billets de 20 et un de 10 !

– Oui, madame. Figurez-vous que la dernière fois que
j'ai trouvé un sac et que je l'ai rapporté à sa propriétaire,
elle a prétexté n'avoir qu'un gros billet pour ne pas me
récompenser...

• **La maîtresse demande à Rémy :**
– Qu'est-ce qu'une voyelle ?
Et il répond :
– La femme du voyou !

• **Une mère en rencontre une autre :**
– Comment va votre fils ?
– Très bien, merci.
– Il est toujours dans l'aviation ?
– Oui !
– Et il vole ?
– Bof... Un autoradio par-ci, un scooter par-là...

• **Un étudiant qui vient d'être recalé au bac envoie un SMS
à sa mère :**
– Recalé ! Prépare papa !
Un quart d'heure plus tard, il reçoit une réponse...
– Papa préparé ! Prépare-toi !

• **Un homme rentre du travail et sa femme lui annonce :**
– Ça y est ! Ton fils a dit « papa » !
– Oh... Ça fait plaisir ! Quand l'a-t-il dit ?
– Quand je l'ai amené chez le boucher, en regardant la tête de
cochon dans la vitrine...

• **Un enfant se présente à l'accueil d'un grand magasin et
dit à l'hôtesse :**
– Si une femme vient vous voir tout affolée parce qu'elle
a perdu son fils... vous pouvez lui dire que je suis au rayon
jouets ?

• **Un soir, trois sœurs passent par la fenêtre de leur chambre pour aller rejoindre leurs amoureux...**
Malheureusement, le père qui se doutait de quelque chose les surprend :
– Où vas-tu comme ça ? demande t-il à la première.
– Je vais rejoindre Karl, papa...
– Et pour quoi faire ?
– Rien... Avec Karl, on parle.
Le père s'adresse ensuite à la deuxième :
– Et toi ? Tu as l'intention d'aller où ?
– Je vais rejoindre Thierry...
– Et pour quoi faire ?
– Rien... Avec Thierry, on rit.
Le père se tourne alors vers la troisième :
– Et toi ? Où cours-tu ?
– Je vais rejoindre Blaise...
– Alors toi, tu restes ici !!!

• **Une mère se fâche...**
– Je me demande pourquoi j'ai acheté un môme aussi méchant que toi !
Et le gamin lui répond :
– Ben... Comme d'habitude, t'as pensé faire une bonne affaire pendant les soldes !

• **Rémy rentre à la maison et annonce fièrement :**
– Maman ! Aujourd'hui, j'ai eu un neuf à l'école !
– En quelle matière ?
– En chocolat !

• **Rémy dit à sa maman :**
– Je trouve que papi est moins sourd qu'avant !
– Et qu'est-ce qui te fait dire ça ?
– Eh bien, quand la foudre est tombée dans le jardin, il a dit :
« Entrez ! »

• **Un enfant demande à sa mère :**
– Comment tu l'as rencontré, papa ?
– C'était à la plage... Je suis partie nager et j'ai bu la tasse.
J'étais en train de me noyer et il m'a sauvée !
– Ah, je comprends...
– Qu'est-ce que tu comprends ?
– Je comprends pourquoi il refuse que j'apprenne à nager...

• **Rémy demande à son père :**
– Dis-moi, papa. C'est quoi un « titre honorifique » ?
– Eh bien, par exemple, c'est quand ta mère dit que je suis le
« chef de famille » !

• **Un enfant rentre de l'école et annonce à ses parents :**
– Demain, il y a la visite musicale à l'école.
– Tu veux dire la visite médicale ?
– Non, musicale ! Il paraît qu'on passe tous à la radio !

• **La maîtresse fâche Rémy :**
– Je pensais t'avoir demandé de me raconter « une soirée en
famille » en une centaine de mots. Tu as seulement écrit :
« Papa a cassé une assiette en faisant la vaisselle. » Cela fait
seulement neuf mots !
– Je sais, dit Rémy. Mais les quatre-vingt-onze autres mots
qu'a prononcés mon père après... je ne peux pas les répéter !

• **La maîtresse demande à Rémy :**
– Tu as trois poissons dans ton assiette et tu en manges deux.
Que reste-t-il ?
– Beaucoup d'arêtes, madame !

• **Lors d'un repas de famille, un enfant demande :**
– Pépé, c'est le bon Dieu qui t'a fait ?
– Oui, c'est le bon Dieu.
– Et toi papa ? C'est le bon Dieu qui t'a fait ?
– Oui, c'est bien lui.
– Et moi ? C'est le bon Dieu aussi ?

– Oui, c'est le bon Dieu qui t'a fait.
– Eh bien, je trouve que sa technique ne cesse de s'améliorer !

• **La maîtresse de Rémy se fâche :**
– Rémy, je t'interdis de dire que ton voisin est un idiot !
Allez, dis-lui tout de suite que tu regrettes !
Rémy regarde alors son voisin et lui dit :
– Je regrette que tu sois un idiot...

• **Un papa et ses trois enfants font du tir à la carabine dans une fête foraine.** Seul le père parvient à éclater ses trois ballons et gagne un jouet que les trois enfants fixent avec envie. Tout en brandissant le jouet devant leurs yeux, le père demande à ses enfants :
– Qui obéit sans rouspéter à maman ? Qui n'a jamais été insolent avec maman ? Qui fait toujours tout ce qu'elle lui demande ?
Les trois enfants regardent alors leur père et répondent en chœur...
– C'est bon, papa... Tu peux le garder, le jouet !

• **Deux femmes se rencontrent.**
– Qu'est devenu votre fils ? Je me souviens de lui, il jouait très bien aux dames !
– Il est pion, dans un lycée...

• **Dans la cour de l'école, le directeur de l'établissement surprend un élève en train de fumer...**
– Que faites-vous ici !
– Je fume de l'herbe, monsieur...
– Oh ! Vous me ferez une heure de colle et vous me copierez cent fois : « Il est interdit de dégrader la pelouse de l'école. »

• **La maîtresse d'école demande à Rémy :**
– Imagine que le nord est devant toi. Qu'as-tu à ta droite ?
– L'est.
– C'est bien. Et à ta gauche ?

– Heu... L'ouest !
– Très bien. Et derrière toi ?
– Ben... Un trou à mon pantalon... Pfff... Je l'avais bien dit
à maman que j'étais sûr que vous le verriez !

• **La mère d'un élève est reçue par le directeur de l'école...**
– Monsieur, faites en sorte que mon fils redouble !
– Certes, le début d'année a été compliqué, mais il a
énormément progressé et il mérite amplement de passer
dans la classe supérieure ! Pourquoi souhaitez-vous un
redoublement ?
– Eh bien... Comme au début il travaillait mal, je lui ai
promis que s'il passait dans la classe supérieure, je viendrais
montrer mes fesses à toute l'école...

• **La maîtresse interroge sa classe :**
– Pourquoi ne faut-il pas fumer ?
Rémy répond :
– Pour courir plus vite, madame !
– Oui, c'est vrai... Mais pourquoi ne plus fumer ferait-il courir
plus vite ?
– Bah... Je sais pas, mais les locomotives, le jour où elles ont
arrêté de fumer, elles sont allées beaucoup plus vite !

• **Les petites Marie et Julie jouent à la dînette.** Alors que
Marie mime de laver la vaisselle, Julie s'extasie :
– Tu fais super bien la vaisselle !
– Oui, et je l'essuie aussi parce que je n'ai pas encore de
mari...

• **Un professeur interroge un élève qui se prend pour un
génie :**
– Alors, le petit surdoué, combien font 4 que multiplie 2 ?
– Ben... Ça dépend, monsieur !
– Ah ! Ah ! Ah ! « Ça dépend », ce n'est pas une réponse,
monsieur le surdoué !

– En fait, reprend l'élève, il y a deux solutions : verticalement, cela donne deux 3 qui se font face et horizontalement cela fait deux 0 superposés !

Hommes et femmes en blanc

• **Un homme se rend chez son médecin.**
– Docteur, je ne me sens pas bien, j'ai des douleurs au ventre.
Le médecin l'examine et conclut :
– Rien de grave ! Vous avez l'œsophage un peu décalé. Il faut
tout de même une petite intervention pour qu'on vous le
remette en place.
Quelque temps après l'intervention, l'homme revient voir son
docteur.
– Je ne sais pas ce que j'ai, dit-il, depuis l'opération j'ai chaud
partout !
– Ce n'est rien ! affirme le docteur. C'est parce que
maintenant, vous avez l'œsophage central !

• **Une femme se rend chez son médecin et lui avoue qu'elle
a envie de faire l'amour chaque fois qu'elle est seule dans
une pièce avec un homme.**
– Vous savez comment ça s'appelle quand on a ça ? lui
demande-t-elle.
– Oui, une excellente nouvelle !

• **Une femme se rend tous les jours à l'hôpital
psychiatrique pour voir son mari.** Un jour, le docteur la
convoque :
– Madame, votre mari va enfin pouvoir rentrer chez vous !
– Ah bon ? Mais pourtant vous m'avez dit qu'il n'était pas
encore tout à fait guéri ?
– Oui, c'est vrai. Seulement le jour où il sera totalement
rétabli, il ne voudra plus vous suivre !

• **Un homme s'apprête à quitter le cabinet de son médecin.**
– Merci, docteur. J'espère que ce rhume va passer… Au fait !
Puisque je suis là, j'ai un ami à moi qui est vraiment très
inquiet. Figurez-vous qu'il a couché avec une fille qui avait
une MST. Que faut-il qu'il fasse ?
– Eh bien… Déshabillez-vous et montrez-moi votre ami…

• **Un homosexuel se rend chez son docteur et se plaint d'un mal de gorge.** Le médecin lui demande de se déshabiller, puis d'ouvrir la bouche…
– C'est bizarre, dit-il, je n'arrive pas à bien voir. Il y a tout au fond de votre gorge comme une petite lumière qui m'éblouit ?
Et l'homo lui répond :
– Ce n'est rien, docteur, je vais m'asseoir…

• **Un couple d'homos s'amuse à quelques jeux sexuels et l'un d'eux introduit dans l'anus de son partenaire une boule de billard.** Malheureusement, impossible de faire ressortir la boule ! Désemparés et honteux, les gays se rendent aux urgences de l'hôpital. Celui avec la boule dans le cul est enfin reçu par un docteur.
– Alors, qu'est-ce qui vous arrive ? lui demande-t-il.
– Ben, un accident tout bête ! J'étais tout nu – chez moi j'aime bien être nu – et je jouais au billard. Pour taper une balle trop loin de la bande, je me suis assis sur le rebord de la table. Et puis, comme je n'étais pas très à mon aise, je me suis levé, puis rassis malencontreusement sur une boule de billard qui m'est rentrée dans les fesses !
– Ce n'est pas de chance ! fait le docteur. Mais joli coup quand même.
Le docteur demande ensuite au patient de se mettre à quatre pattes. Puis le docteur baisse son pantalon et sort son sexe.
– Mais !? Que faites-vous ! s'inquiète l'homo.
– Ne bougez pas, restez comme ça, répond le docteur, je vais tenter un effet rétro avec ma queue !

• **Une femme se rend chez son gynécologue, pensant qu'elle est enceinte.** Le gynécologue l'observe et donne son diagnostic.
– Vous n'êtes pas enceinte. Vous aviez de l'air, des poches de gaz dans le bas-ventre. C'est pour ça que vous gonfliez…
La femme rentre chez elle et engueule son mari :
– Dis-moi ! Qu'est-ce que tu as dans le froc ? Une bite ou une pompe à vélo ?

• **Le chirurgien entre dans la chambre d'un malade et lui annonce :**
– J'ai une bonne et une mauvaise nouvelle à vous annoncer.
– Commencez par la bonne, docteur. Ça me remontera le moral !
– La bonne, c'est que nous avons estimé à vingt-quatre heures le temps qu'il vous reste à vivre !
– Hein !? Qu'est-ce que vous dites ? C'est ce que vous appelez une bonne nouvelle !!! C'est quoi la mauvaise ?
– La mauvaise, c'est que je n'ai pas osé vous le dire hier...

• **Un homme avec une longue barbe, vêtu d'une toge blanche, se rend chez un psychiatre.**
– Dites-moi tout ! dit le psy. Commencez par le commencement !
Et le patient lui répond :
– Au commencement, je créai le ciel et la terre.

• **Un type entre dans une pharmacie et demande :**
– Bonjour, je voudrais de l'acide acétylsalicylique, s'il vous plaît !
– Vous voulez dire de l'aspirine ? dit le pharmacien.
– Oui, c'est ça ! Je ne me souvenais plus du nom !

• **Un dentiste dit à son patient :**
– J'ai une bonne et une mauvaise nouvelle !
– Je vous écoute...
– La mauvaise, c'est que je vais devoir vous extraire une dent.
– Ouf ! Et la bonne ?
– La bonne, c'est que les autres vont tomber toutes seules...

• **Sur un chantier, trois Portugais pissent contre le mur qu'ils viennent de maçonner, lorsque soudain, une poutre tombe et leur écrase le sexe !** Un mois plus tard, les Portugais sont toujours en rééducation à l'hôpital et le chef de chantier va leur rendre une petite visite de courtoisie. Il entre dans la chambre du premier et le surprend en train de se branler !

– Mais !? Qu'est-ce que tu fais ?

Et le Portugais lui répond :

– Jé fais ma rééducachionne, jé mé machtourbe !

Le chef de chantier entre ensuite dans la chambre du deuxième et constate la même chose...

– Quoi ! Toi aussi, en rééducation ?

– Chi ! Jé mé machtourbe pour ma rééducachionne !

Le chef de chantier a maintenant compris qu'il était venu leur rendre visite au moment des exercices de rééducation. Alors qu'il s'attend à tomber sur le même tableau dans la chambre du troisième, il surprend l'ouvrier en train de se faire tailler une pipe par une infirmière !

– Et toi ! lui dit-il. Tu vas me dire que tu fais de la rééducation, peut-être ?

– Chi ! Rééducachionne ! lui répond le Portugais. Mais moi, j'ai oune bonne moutouelle !

• **Un dentiste annonce à son patient :**

– Je vais devoir vous extraire cette dent.

– C'est cher ?

– Ça vous coûtera environ 70 euros.

– 70 euros !? Pour seulement deux minutes de travail !

– Si vous le souhaitez, je peux le faire très lentement...

• **Une femme se blesse sur un terrain de golf.** Elle revient au Club House et dit :

– Je me suis blessée sur le parcours !

Un des médecins présents sur les lieux lui demande :

– Vous vous êtes blessée où ?

– Entre le premier et le deuxième trou !

– Désolé, mais je ne pense pas qu'un pansement puisse tenir à cet endroit...

• **Un vétérinaire consulte un médecin.** Le médecin l'ausculte et lui pose un certain nombre de questions.
– Vous toussez depuis longtemps ?
– Vous me faites marrer, vous, les médecins ! Moi, en tant que vétérinaire, je n'ai pas besoin de poser toutes ces questions ! J'ausculte et trouve tout seul ce qui ne va pas !
Vexé, le médecin poursuit son auscultation sans plus rien dire. Il rédige son ordonnance, puis en la tendant à son patient, dit :
– Tenez ! Vous prendrez ça pendant trois jours. S'il n'y a pas d'amélioration, il faudra que je vous pique…

• **Un ophtalmologiste qui travaillait à l'hôpital organise un pot pour son départ en retraite.** Tout le personnel de l'hôpital s'est cotisé pour lui offrir un magnifique tableau qui représente un énorme œil ! Un docteur dit alors à l'ophtalmologiste :
– Il me tarde de partir à la retraite pour avoir un cadeau comme le vôtre !
– Oui ? Quelle est votre spécialité ?
– Je suis gynécologue…

• **Une femme téléphone au docteur :**
– Docteur ! Mon fils vient d'avaler du sable et du ciment ! Qu'est-ce que je fais ?
– Surtout, qu'il ne boive pas d'eau !

• **Un médecin n'est pas content de son patient :**
– Quoi !? Ça fait six mois que je vous soigne pour une jaunisse et ce n'est que maintenant que vous me dites être asiatique !!!

• **Une femme entre dans le cabinet d'un docteur.**
– Bonjour, docteur ! Il paraît que je suis nymphomane ! Que dois-je faire ?

– Eh bien… Pour commencer, lâchez-moi la bite que je puisse retourner à mon bureau et je vous indiquerai un confrère psychanalyste.

• **À l'école dentaire, un dentiste lance une dent en l'air, la rattrape et demande à un étudiant :**
– De quelle dent s'agit-il ?
L'étudiant sort son trousseau de clefs, le lance en l'air, le rattrape et demande à son professeur :
– Où j'habite ?

• **Une femme se rend chez un psychiatre.**
– Docteur, il faut absolument que vous convainquiez mon mari de venir vous voir ; il se prend pour un Boeing 747 !
– Effectivement… Et vous, vous n'êtes pas parvenue à le convaincre ?
– Presque ! Mais je n'ai pas pu, il y avait trop de brouillard, je l'ai détourné sur l'aéroport de Vélizy.

• **Une jeune femme se rend chez un psychiatre.**
– Quel est votre problème, mademoiselle ?
– J'entends des voix…
– Que vous disent-elles ?
– Elles me disent : « Toi, t'es une vraie petite salope ! »
– Ha ? Mettez-vous à l'aise et installez-vous confortablement sur le divan.
Une demi-heure plus tard, la jeune femme et le psychiatre se rhabillent… Tout en remettant son pantalon, le psychiatre lui dit :
– Toi, t'es une vraie petite salope !

• **Dans un hôpital, une infirmière dit à une autre :**
– Est-ce que tu as remarqué que tous les patients qui avaient été opérés la semaine dernière l'ont été de nouveau cette semaine ?
– Oui, je sais, le chirurgien a perdu sa gourmette en or !

• **Un psychanalyste se couche auprès de sa femme et lui fait des avances.** Cette dernière le repousse et s'énerve :
– Mais pourquoi tu me fais toujours des avances quand je suis indisposée ?
Et le psychanalyste lui répond :
– Parce que tu ne peux pas savoir combien il est agréable de s'entendre dire « non » quand on reçoit, comme moi, deux ou trois nymphomanes par jour !

• **Une concierge va voir son médecin...**
– Docteur, je me sens très fatiguée en ce moment...
– Oui, je vois de quoi il s'agit. Montrez-moi votre langue...

• **Une femme se rend chez son psychiatre.**
– Bonjour, madame ! Pour le besoin de la thérapie, je vais vous demander de bien vouloir vous déshabiller et de vous installer sur le divan !
– Que... Que je me déshabille ?
– Oui.
– Totalement ?
– Absolument ! Mettez-vous nue sur le divan et écartez bien vos jambes, c'est pour la thérapie.
La femme s'exécute et s'allonge nue sur le divan. Le psychiatre se déshabille à son tour et lui fait l'amour. Après avoir terminé son affaire, alors qu'il finit de se rhabiller, le psychiatre dit :
– Bien ! Maintenant que ma thérapie est terminée, voyons un peu la vôtre !

• **Un chirurgien entre dans la chambre d'une blonde et lui demande :**
– Est-ce que vous avez toujours de la fièvre ?
– Normalement je n'en ai plus parce qu'une infirmière me l'a prise tout à l'heure !

• **Une femme rend visite à son médecin...**
– Docteur, j'ai des trous noirs.
– Déshabillez-vous que je regarde ça !

• **Un type se voit prescrire des suppositoires par son médecin.** Une semaine plus tard, il revient voir son toubib...
– Docteur, je ne vais pas mieux...
– Vous avez bien pris les suppositoires ?
– Oui, j'ai fini la boîte.
– Je ne comprends pas. Vous les avez mangés, ou quoi !
– Forcément ! Vous pensiez que j'allais me les foutre dans le cul ?!

• **Dans la parc d'un asile de fous, un malade, à quatre pattes, cherche quelque chose dans les massifs de fleurs...**
Un aide-soignant le remarque et lui demande :
– Que cherchez-vous dans les fleurs ?
– J'ai fait tomber ma montre !
– Ah... Elle est tombée dans ce massif ?
– Non, dans les toilettes. Mais je préfère chercher ici, ça sent meilleur !

• **Un homme consulte un psychiatre.** Ce dernier lui présente des dessins, des taches sur une feuille et demande à son patient de les interpréter :
– Que voyez-vous ?
– Je vois... Un couple en train de faire un 69.
– Et sur cette feuille, que voyez-vous ?
– Une femme qui fait une fellation.
– Hum... Et sur cette feuille ?
– Une grande partouze.
– Bien, inutile de continuer, votre problème est très simple : vous êtes un obsédé sexuel !
– Obsédé sexuel !? Ça va pas, non ? C'est vous qui me montrez des images cochonnes !

• **Dans un asile, un fou pêche dans la cuvette des toilettes.**
Le directeur de l'asile le surprend et lui demande :
– Alors ? La pêche est bonne ?
– Pas terrible... Vous êtes le premier couillon que j'attrape !

• Une femme se rend chez son médecin et commence à se plaindre de ses enfants...

– Mon premier a la grippe. Mon deuxième a les oreillons. Mon troisième a la varicelle...

– Et votre tout ? plaisante le médecin.

– Ma toux ? Elle va bien, merci.

• Une femme se rend chez son médecin :

– J'en peux plus ! Je suis à bout de nerfs !

– Calmez-vous... Expliquez-moi ce qui ne va pas.

– Docteur, il me faut des calmants ! Toute la journée, mon mari n'arrête pas de m'appeler « la grosse patate » !

– Allons, allons... Épluchez-vous, je vais regarder ça de plus près !

On ne dit pas...

• On ne dit pas « un chapelet »
Mais on dit... « un matou tondu »

• On ne dit pas « gestionnaire des tâches »
Mais on dit... « directeur des ressources humaines »

• On ne dit pas « arrête tes simagrées »
Mais on dit... « stoppe la cuisson de tes canards ! »

• On ne dit pas « je n'aime pas la promiscuité »
Mais on dit... « je déteste quand ma fiancée est bourrée »

• On ne dit pas « Hélène Segara »
Mais on dit... « la chanteuse s'est perdue »

• On ne dit pas « un poulet »
Mais on dit... « un acarien moche »

• On ne dit pas « Calcutta ! »
Mais on dit... « tu as du bol »

• On ne dit pas « ciboulette »
Mais on dit... « trois hommes nus »

• On ne dit pas « de la gélatine »
Mais on dit... « une vieille Italienne »

• On ne dit pas « de l'acide aminé »
Mais on dit... « de l'ecstasy pour chats »

• On ne dit pas « des chaussures noires »
Mais on dit... « des pompes africaines »

• On ne dit pas « une Cocotte-minute »
Mais on dit... « une aventure d'un soir... »

• On ne dit pas « docteur, je suis malentendant »
Mais on dit... « docteur, mes érections sont douloureuses »

• On ne dit pas « il a le compas dans l'œil »
Mais on dit... « c'est un mauvais gynécologue »

• On ne dit pas « il est à vous cet escabeau ? »
Mais on dit... « à qui est ce clébard ? »

• On ne dit pas « c'est une hyperbole »
Mais on dit... « quelle chance ! »

• On ne dit pas « ça vanne sec ! »
Mais on dit... « il y a longtemps qu'il n'a pas plu dans la brousse »

• On ne dit pas « la Patagonie »
Mais on dit... « la nouille presque morte »

• On ne dit pas « un aigle »
Mais on dit... « un oiseau de couleur »

• On ne dit pas « ma réglisse »
Mais on dit... « je mouille beaucoup trop... »

• On ne dit pas « immatriculé »
Mais on dit... « il m'a pris trois fois par-derrière »

• On ne dit pas « je mange copieux... »
Mais on dit... « je ne quitte même pas mon lit pour manger »

• On ne dit pas « le sudoku »
Mais on dit... « le nord face à soi »

• On ne dit pas « il a mal jauni »
Mais on dit... « Hallyday a été hospitalisé »

• **On ne dit pas** « quel sac de nœuds ! »
Mais on dit... « super caleçon ! »

• **On ne dit pas** « un mauvais caractère de police »
Mais on dit... « un flic très soupe au lait »

• **On ne dit pas** « il faut s'expatrier »
Mais on dit... « ne mettez pas les garçons d'un côté et les filles de l'autre »

• **On ne dit pas** « des poils pubiens »
Mais on dit... « une pilosité qui sent mauvais »

• **On ne dit pas** « un conquistador »
Mais on dit... « un imbécile qui s'aime »

• **On ne dit pas** « un pinailleur »
Mais on dit... « un homme infidèle »

• **On ne dit pas** « un poète »
Mais on dit... « un klaxon »

• **On ne dit pas** « je me suis cogné l'occiput »
Mais on dit... « je n'ai couché qu'avec une demi-douzaine de prostituées »

• **On ne dit pas** « quoi c'est ? »
Mais on dit... « faites le cri de la grenouille ! »

• **On ne dit pas** « l'affaire est dans le sac »
Mais on dit... « j'ai mis un préservatif »

• **On ne dit pas** « une gourde pleine »
Mais on dit... « une blonde enceinte »

• **On ne dit pas** « je diverge »
Mais on dit... « j'ai dix sexes »

• On ne dit pas « il faut retirer l'écorce ! »
Mais on dit... « donnons son indépendance à l'île de beauté ! »

Les copains et les copines

• **Trois Marseillais discutent à la terrasse d'un café...**
– Moi, dit le premier, j'ai une excellente mémoire ! La
preuve, je me souviens de la claque que m'a mise la sage-
femme le jour de ma naissance !
– Peuchère, moi aussi, j'ai une excellente mémoire ! fait le
deuxième. Je me souviens du jour de ma conception, celui où
j'ai foncé tête baissée pour perforer l'ovule de ma mère !
– Bah... fait le troisième, ce n'est rien à côté de ma
mémoire ! Moi, je me souviens même de l'époque où mon
père se masturbait, et que je sautais de couille en couille pour
ne pas finir dans la cuvette des WC !

• **Deux copines prennent leur douche ensemble après
avoir disputé une partie de tennis.** La première se baisse
pour ramasser son savon et la seconde s'aperçoit qu'elle a un
bouchon enfoncé dans le trou du cul.
– Excuse-moi de te demander cela, mais... pourquoi as-tu un
bouchon enfoncé dans les fesses ?
– Oh ! C'est toute une histoire... Je me suis disputée avec
mon mari.
– Il boit ? Il t'a enfoncé le bouchon de sa bouteille de vin ?
– Non, c'est pas ça. Je voulais faire du rangement au grenier
et il ne voulait pas m'aider. J'étais énervée et j'ai fait tomber
une vieille lampe. Son couvercle s'est ouvert et un génie
est sorti. Il m'a dit : « Fais un vœu et je l'exaucerai sur-le-
champ ! »
– Et alors ?
– Alors, je lui ai dit de ne pas me faire chier.

• **Un bègue éprouve d'énormes difficultés à prononcer les
mots qui commencent par un « B ».** Il se rend dans un bar
avec des potes qui le mettent au défi de commander une bière
à la serveuse. La serveuse arrive et lui demande ce qu'il veut :
– Je... je voudrais une... une... une be... une be... une bière.
Ouais !!! Une bière ! Une bière ! Je voudrais une bière !
– Oui, sans problème. Brune ou blonde ?
– Bl... bl... br... br... bl... Sssssssalope !

• **Deux esquimaux pêchent sur la banquise.** Soudain, la glace se rompt et l'un d'eux tombe à l'eau ! Son ami parvient à l'attraper, puis à le hisser hors de l'eau...
– Alors, ça va ?
– Oui mais... j'ai eu chaud !

• **Deux copains se retrouvent après plusieurs années :**
– Salut ! Qu'est-ce que tu deviens ?
– Je suis comédien.
– Le pied ! T'es intermittent du spectacle ? Tu glandes et tu touches les Assedic ?
– Non, non ! Je travaille. Je vais tourner un film le mois prochain avec Besson.
– Luc Besson ?
– Non, un cousin éloigné à lui, Pierre.
– T'as qui comme partenaire ?
– Tautou.
– Audrey ?
– Non, c'est un chien qui s'appelle comme ça... Il a le second rôle.
– Il y a quelqu'un qui fait la musique ?
– Oui, Jarre.
– Jean-Michel ?
– Oui.
– Merde...

• **Un homme à un copain :**
– Je t'ai pas dit que ma fille allait se marier ?
– Oh, putain !
– Non, pas celle-là, l'autre...

• **Trois Marseillais papotent...**
– Mon ancêtre était si grand, dit le premier, qu'il avait encore pied au milieu de la Méditerranée !
– Le mien, dit le deuxième, il était tellement grand que quand il levait les bras au ciel, il touchait la Lune et Mars !

– Ah ! Ah ! Ah ! Ce n'était pas la Lune et Mars, fait le troisième, c'était les couilles de mon ancêtre !!!

• **Un type désespéré est réconforté par son copain.**
– Qu'est-ce qui ne va pas ? lui demande le copain.
– C'est à cause d'Emma. La fille que j'aime...
– Oui, je sais, ça fait quatre mois que tu ne parles que d'elle et que tu ne sais pas comment l'aborder. Que se passe-t-il ?
– Tu sais, chaque fois que je la vois, j'ai une superbe érection, alors...
– Oui, je sais, cela t'empêche de l'aborder parce qu'elle ne verrait que ça... Alors ?
– Ben... Elle m'a téléphoné et elle m'a enfin invité à dîner chez elle, hier soir !
– Super ! Mais pourquoi es-tu dans cet état ? Tu n'as pas réussi à conclure ?
– C'est-à-dire que... pour ne pas être embarrassé par mon érection, j'avais scotché mon sexe autour de ma cuisse et...
– Et ?
– ... et à peine avait-elle ouvert la porte, que je lui ai foutu mon pied dans la gueule !

• **Un bègue dit à son copain boiteux :**
– J'ai... J'ai... J'ai un... un... un truc... po... po... pour pas que... que... que tu b... que tu b... boi... boites !
– Ah bon ?
– Oooo... ui. Faut... faut... que tu... mmm... mmm... mettes un p... un pied... ssssssssur... sur le tro... sur le tro... trottoir et... et.... et... et l'autre dddd... ddddd... dans le... dans le ca... caniveau !
– Ah oui ? Et moi, j'ai un truc pour que tu ne bégayes plus !
– A... A... Ah bon ?
– Ferme ta gueule !!!

• **Un type est invité chez des amis et remarque une superbe commode de style.**
– Elle est de quelle époque ? demande-t-il à ses hôtes.
– De l'époque où on avait de l'argent !

• **Un type explique à un copain :**
– Je ne lave ma voiture que tous les cinq ans et je commence toujours par les plaques d'immatriculation.
– Ah bon ? Et pourquoi ?
– Pour être certain que c'est bien la même !

• **Un type fait visiter son appartement à un copain. Le** copain lui demande :
– Mais !? Il n'y a aucun meuble dans ton appartement ?
– Bof... Pas besoin.
– Comment ça, tu n'en as pas besoin ? Comment fais-tu pour manger, par exemple ?
– J'ai ma femme ! Je lui demande de se mettre à quatre pattes et je mange sur son dos !
– Pratique, mais quand même ! Et pour dormir ? Comment fais-tu pour dormir ?
– Ben, je retourne la table !

• **Une clope dit à sa copine la verge :**
– Je ne souhaite pas à mon pire ennemi de mener la vie que je mène... On met le feu, on m'écrase et pour quoi faire ? Pour finir sur le trottoir...
Le sexe lui répond :
– Et moi ! Tu crois que c'est drôle ? On me met un sac plastique sur la tête et ensuite on me secoue jusqu'à ce que je dégueule !

• **Deux copines reviennent d'un bal masqué.**
– Il était sympa le type avec qui tu as dansé ?
– Lequel ?
– Celui déguisé en Adam !

– Oui, mais… maintenant, je sais ce que signifie « être dur de la feuille » !

• **Un prisonnier dit à son compagnon de cellule :**
– J'ai fait un merveilleux rêve !
– Vas-y, raconte !
– J'ai rêvé que mon propriétaire m'expulsait !

• **Une dame raconte à une amie :**
– Ce matin, en ouvrant les volets, j'ai fait tomber ma jardinière de fleurs sur la tête d'un passant !
– Oh ! Rien de grave, j'espère !
– Non, elles étaient fanées…

Les blondes

• **Une blonde va voir un docteur...**
– Docteur, je ne suis pas malade !
– Ça tombe bien, je ne suis pas docteur !

• **Quel point commun y a-t-il entre Eve Angeli et une station-service ?**
Les jambes c'est super, la poitrine c'est ordinaire, et la tête c'est sans plomb !

• **Quelle différence y a-t-il entre une blonde et un placard à balais ?**
Un seul homme peut entrer dans un placard à balais.

• **Une blonde annonce à son amie :**
– Ce week-end, je vais bronzer à la plage !
– Hein !?
– La météo a annoncé 28 degrés pour ce week-end !
– En plein mois de janvier ?
– Oui, 12 degrés samedi et 16 degrés dimanche !

• **Deux blondes tombent en panne de voiture.** Un routier remarque leur véhicule stationné au bord de la route et les deux blondes qui cherchent dans le moteur d'où la panne peut provenir. Le routier s'arrête à leur niveau et leur demande :
– Vous êtes en panne ?
– Oui ! répondent les blondes.
Le type gare alors son camion, puis vient regarder...
– Vous avez roulé sans huile, le joint de culasse est peut-être mort.
– Ah...
– Ne vous inquiétez pas, on va trouver une solution. Si vous voulez, je peux vous tirer ?
– Non ! répondent en chœur les blondes. Nous sommes pressées et déjà en retard ! Une prochaine fois peut-être ?

• **Une blonde visite une maison pour l'acheter.** Elle a le coup de cœur et la maison est dans son budget. Soudain, un bruit d'enfer retentit ! Toute la maison tremble, puis tout s'arrête au bout de deux minutes.

– Qu'est-ce que c'était ? s'inquiète la blonde.

L'agent immobilier lui explique :

– En fait, il y a le train qui passe juste derrière la maison. Mais les propriétaires disent qu'après on n'y fait plus attention, qu'on l'entend seulement les trois premiers jours.

– Ouf ! fait la blonde. Dans ce cas, c'est pas grave, j'irai dormir à l'hôtel les trois premiers jours !

• **Une blonde vient de faire l'amour avec son petit copain.** Ce dernier se lève, va aux toilettes, puis revient se coucher auprès de sa blonde. Puis il se relève en disant :

– J'ai oublié de tirer la chasse !

Et la blonde lui dit :

– C'est qui cette Lachasse ?!

• **Un homme dont la femme est blonde cherche une idée de cadeau à lui offrir pour son anniversaire.** Ses copains essayent de lui donner des idées.

– Un bijou ?

– C'est toujours ce que je lui offre...

– Un téléphone portable ?

– Elle en a déjà un.

– Un vêtement ?

– Je ne saurais pas le choisir...

– Pfff. Elle est difficile à satisfaire, ta blonde ! T'as qu'à lui acheter un balai à chiotte !

Deux semaines plus tard, le type retrouve ses copains...

– Alors, finalement, qu'est-ce que tu as acheté à ta femme ? lui demande l'un d'eux.

– Eh bien, comme vous me l'avez conseillé : un balai à chiotte !

– Et... elle était contente ?

– Oui... Elle s'en est servie pendant quelques jours et puis elle est revenue au papier, elle trouve ça plus pratique.

• **Dans une animalerie, une blonde est responsable des oiseaux.** Une cliente lui demande de l'aide :
– J'aimerais acheter un oiseau, pouvez-vous me renseigner ?
– Quel oiseau aimeriez-vous ? lui demande la blonde.
– J'en ai repéré deux qui sont sur une branche, dans l'arbre de la grande volière. Il y en a un rouge et un vert. Je ne sais lequel choisir.
– Prenez le rouge ! Le vert n'est pas mûr.

• **Quel point commun y a-t-il entre une blonde allongée et une porte fermée dont on a perdu les clefs ?**
Il ne reste plus qu'à les défoncer !

• **Une blonde fait l'amour sans préservatif avec un inconnu.**
– J'espère que tu n'as pas le sida ? lui demande-t-elle.
– Mais non. Ne t'inquiète pas !
Dix minutes plus tard…
– J'espère que tu n'as pas le sida ?
– Je t'ai déjà dit que non.
Dix nouvelles minutes plus tard…
– Tu n'as pas le sida au moins ?
– Mais enfin pourquoi es-tu aussi inquiète ?
– Ben… Je ne voudrais pas l'attraper une seconde fois !

• **Une blonde se fait aborder dans la rue par un homme…**
– Mademoiselle, aimeriez-vous devenir témoin de Jéhovah ?
– Ben… J'veux bien mais j'ai rien vu !

• **Tous les jours, une blonde a pris l'habitude de se rendre dans une cabine téléphonique, de décrocher le téléphone, et de parler sans avoir mis de pièce ni même introduit de carte…** Le commerçant dont la boutique se situe juste en face de la cabine a remarqué le petit manège. Un jour, alors que la blonde sort de la cabine, il l'interpelle :
– Pardon mademoiselle, que venez-vous faire tous les jours dans cette cabine ?

– Je viens tous les jours, je décroche et je demande : « Qui est la plus belle ? » Et quelqu'un me répond : « Tu... Tu... Tu... Tu... »

• **Comment une blonde parvient-elle à faire un Rubik's cube ?**
En décollant puis recollant toutes les étiquettes !

• **Lors d'un examen, les élèves doivent calculer la superficie de la Suisse.** Une blonde lève la main et demande une précision au professeur...
– À marée haute ou à marée basse ?

• **Une blonde, qui a fait la récente acquisition d'un caméscope, visionne son premier film.** Malheureusement, sur tout le film il n'y a qu'un énorme œil ! Pourquoi ?
Parce qu'elle le tenait à l'envers !

• **Une blonde se rend chez son gynécologue :**
– Je ne comprends pas... Pouvez-vous me dire pourquoi, lorsque j'enlève mes lunettes, je n'entends pas mieux ?
Et le gynécologue lui répond :
– Je n'en sais rien. Moi, la seule chose que je peux vous dire, c'est que sans culotte on baise mieux !

• **Une blonde monte le mont Ventoux en voiture et en marche arrière...** Elle fait du 5 kilomètres/heure et le moteur de la voiture fait un bruit d'enfer. Un paysan sur le bord de la route l'interpelle :
– Pourquoi roulez-vous en marche arrière !
– On m'a dit qu'en haut il n'y avait pas assez de place pour faire demi-tour !
Une heure plus tard, le paysan voit la voiture de la blonde redescendre, le moteur fumant, toujours en marche arrière...
– Mais pourquoi redescendez-vous aussi en marche arrière ?
– On m'avait menti, on peut faire demi-tour !

• Une blonde a les plus grandes difficultés du monde à vendre sa vieille Peugeot 205 qui affiche 280 000 kilomètres au compteur. Un ami garagiste lui propose son aide :

– Si tu veux, je peux trafiquer le compteur pour qu'il n'affiche que 80 000 kilomètres... Tu es OK ?

– Tu ferais ça pour moi ?

– Oui, bien sûr !

Le garagiste trafique donc le compteur et, quelques semaines plus tard, croise par hasard la blonde toujours au volant de sa 205 pourrie...

– Eh bien alors ? Tu n'as toujours pas réussi à la vendre ?

– T'es fou ! Maintenant qu'elle a 80 000 kilomètres, je la garde !

• Une blonde qui est internée dans un asile est convoquée dans le bureau du directeur, car celui-ci doit statuer sur son sort...

– Bonjour, mademoiselle ! Asseyez-vous... Je pense sérieusement à vous faire sortir de notre établissement. Vous avez réalisé de gros progrès. Avant ça, j'aimerais vous poser une ou deux questions afin de juger de votre état mental. Vous acceptez ?

– Oui, bien sûr !

– Alors... Si je vous coupe une oreille, que se passe-t-il ?

– Ben... Je n'entends plus d'un côté !

– Oui, très bien !

– Et... si je vous coupe deux oreilles, que se passe-t-il ?

– Ben... Je vois beaucoup moins bien !

– Ah...

Déçu, le directeur de l'asile décide de garder encore quelque temps la blonde dans son établissement. Et c'est ainsi que pendant un an, tous les mois, le directeur la reçoit et lui repose les mêmes questions... Malheureusement, la blonde répond toujours mal à la seconde. Un jour, le directeur finit par lui dire :

— Mais enfin ! Réfléchissez un peu ! Je vous repose la
question : si je vous coupe les deux OREILLES... que se
passe-t-il ?
— Je vois moins bien...
— Mais expliquez-moi pourquoi vous me répondez chaque fois
que vous verriez moins bien ?
— Ben... Parce que mes lunettes tomberaient...

• **Deux blondes piquent des produits de beauté dans un
supermarché.** La première dit à l'autre :
— Si le vigile est à gauche, on prend la sortie de droite. S'il est
à droite, on file par celle de gauche !
Les blondes se présentent face à la sortie mais font demi-tour
dans le magasin...
— Eh merde... dit l'une des deux blondes, on ne peut pas
sortir, le vigile n'est pas là !

• **Quelle différence y a-t-il entre un gâteau et une blonde ?**
Le gâteau a l'air moins tarte !

• **Une blonde et sa copine sont en croisière.** Un après-midi,
la blonde rentre affolée dans sa cabine et dit à sa copine :
— Vite ! Vite ! Il faut vite écrire nos cartes postales !
— Mais détends-toi, répond la copine, nous sommes en
vacances, nous avons encore le temps d'écrire nos cartes
postales et de les poster à la prochaine escale !
— Non, écrivons-les vite avant qu'il n'y ait plus d'encre !
— Comment ça ?
— Le commandant a dit qu'il allait jeter l'encre !

• **Une blonde amène sa chienne chez le vétérinaire.**
— Docteur, ma chienne se prend pour une vache !
— Ah bon ? Et depuis quand ?
— Depuis que je la trais !

• **Une blonde verse le contenu d'une bouteille de sirop contre la toux dans le réservoir de la voiture de son mari.**
Ce dernier arrive sur ces entrefaites :
– Aaaaaahhhh ! Mais qu'est-ce que tu fais !!?
– Chéri, tu m'as bien dit que le moteur était grippé ?

• **Une blonde va s'inscrire au Pôle emploi.**
– Quelle est votre profession, madame ? lui demande l'hôtesse d'accueil.
– J'étais coiffeuse…
– Et quel est votre nom, s'il vous plaît ?
– Céline Dion.
– Ah… C'est un nom très connu !
– Certainement, c'est que ça fait vingt ans que je coupe des cheveux !

• **Une blonde arrête sa mini Austin près d'un champ où un paysan trait une vache.** Elle lui demande :
– Pardonnez-moi, monsieur ! Vous vidangez la vôtre tous les combien de kilomètres ?

• **Un gendarme arrête une blonde pour excès de vitesse.** Il contrôle ses papiers et lui demande :
– C'est bien votre adresse ?
– Oui, monsieur le gendarme, mais je vais vous donner mon numéro de portable, je préfère que vous évitiez de m'écrire : mon mari est jaloux…

• **Une blonde vient déposer une plainte pour vol au commissariat.**
– Un vieux monsieur m'a volé mon portable !
– Vous qui êtes jeune, répond l'inspecteur, vous ne pouviez pas le rattraper ?
– Si ! J'ai couru, je l'ai rattrapé, je l'ai même dépassé, mais quand je me suis retournée… il n'était plus là.

• **Une blonde pulvérise un produit en bombe partout où elle passe.** Un jour, quelqu'un finit par lui demander :
– Que faites-vous ?
– Je pulvérise un produit contre les lutins, les monstres et les sorcières !
– Mais il n'y en a pas !?
– Ah ! Vous voyez que c'est efficace !

• **Une blonde s'initie à la tapisserie et prépare une douzaine de clous qu'elle se met entre les dents.** Le professeur la prévient :
– Faites attention, vous risquez de les avaler !
– C'est pas grave, répond-elle, il y en a plein d'autres !

• **Une blonde conduit une ambulance et percute un piéton...** L'ambulancière descend de son véhicule, sort le brancard et charge le blessé dessus en lui disant :
– Oh, là, là ! On peut dire que vous avez de la chance que je me sois trouvée là !

• **Le fils d'une blonde rentre de l'école et annonce à sa mère :**
– J'ai été puni...
– Ah bon ? Qu'as-tu fait ?
– Je ne savais pas où était le ballon d'Alsace...
– Ça t'apprendra à emprunter les affaires des autres !

• **Un instituteur écrit dans le cahier de correspondance d'un enfant dont la maman est blonde :** « Votre fils a une tendance à la myopie. Merci de le faire corriger. » Le lendemain, le garçon rend le carnet de correspondance à l'instituteur, qui lit la réponse de la maman : « Je lui ai donné une bonne correction, il ne recommencera plus ! »

• **Une blonde qui vit à la campagne envoie sa fille prendre des cours de catéchisme afin qu'elle fasse sa communion.** Un soir, le curé vient voir sa mère chez elle et lui annonce :

– Votre fille ne pourra pas faire sa communion cette année, elle ne sait toujours pas comment Jésus est mort !
– Je suis désolée, répond la maman blonde, mais vous savez, nous, à la campagne, on ne savait même pas qu'il était malade !

• **La petite fille d'une blonde appelle sa maman pour qu'elle l'aide à faire ses devoirs :**
– Maman ! Tu peux m'aider ? Il y a des opérations et il faut que je trouve le plus petit dénominateur commun !
– Oh, là, là ! Je ne veux pas te décourager, mais celui-là, quand j'étais petite, on le cherchait déjà ! Ils ne l'ont pas encore trouvé ?

• **Une blonde et son copain partent faire une randonnée.**
Arrivé au sommet d'une montagne, le gars dit à sa blonde :
– Je t'avais dit que ça valait la peine de monter jusqu'ici ! Regarde la vue que l'on a sur ces belles forêts ! Elles ne sont pas magnifiques ?
– Pfff... J'vois rien, y'a plein d'arbres devant !

• **Quel instrument de cuisine faut-il pour faire l'amour à une blonde ?**
Un rouleau à pâtisserie... pour étaler la tarte !

• **Quelle différence y a-t-il entre un barman et une blonde ?**
Le barman débite des chopes et la blonde chope des bites...

• **Pourquoi fait-on travailler les blondes 7 jours sur 7 ?**
Pour ne pas avoir à leur réexpliquer leur travail tous les lundis matin.

• **Qui a inventé le mouvement perpétuel ?**
Une blonde dans une porte tournante !

• **Qu'est-ce qu'un homme qui a des goûts simples ?**
Un homme qui aime les blondes.

• **Une blonde se rend au cinéma.**
– Je voudrais une place, s'il vous plaît, madame !
Deux minutes plus tard, elle revient :
– Heu... Une autre place, s'il vous plaît.
Et encore quelques instants plus tard :
– Je peux acheter une autre place ?
La guichetière finit par lui demander :
– C'est la troisième place que vous prenez. Qu'en faites-vous ?
– C'est le type là-bas ! Chaque fois il demande à voir mon ticket et il me le déchire !

• **Au restaurant, une blonde abandonne ses amis quelques instants pour se rendre aux toilettes qui donnent sur la salle.** Elle ouvre la porte des toilettes, baisse sa petite culotte et s'assoit sur le trône sans refermer la porte. Elle finit de faire son pipi, puis revient s'asseoir comme si de rien n'était.
Stupéfaits, ses amis lui disent :
– Mais tu sais que tu es allée aux toilettes sans fermer la porte derrière toi !?
– Oui ! J'ai toujours peur que quelqu'un me regarde par le trou de la serrure !

• **Pourquoi les blondes ne mettent-elles pas leur main devant leur bouche quand elles toussent ?**
Parce qu'elles ont remarqué que ça ne les empêchait pas de tousser !

• **Comment fait une blonde pour se faire vomir ?**
Elle se met un doigt dans la bouche et l'autre dans le cul. Si ça ne marche pas, elle inverse !

• **Quel point commun y a-t-il entre une blonde et un puits ?**
Quand tu parles, l'intérieur résonne.

• Comment font les blondes pour compter les moutons avant de s'endormir ?
Elles comptent les pattes et divisent par 4.

• **Que fait une blonde arrêtée devant un panneau « Stop » ?**
Elle attend qu'il passe au vert !

• **Une blonde accompagne un ami chasseur dans les bois.**
Ce dernier tient à lui faire voir comment il chasse le lièvre afin de lui démontrer qu'il est possible de chasser sans verser une goutte de sang. L'ami chasseur aperçoit un terrier... Il retire doucement sa veste, se penche au-dessus du trou et se met à crier : « Coucou ! Coucou ! » Le lièvre sort alors de son terrier et... le chasseur l'attrape avec sa veste !
– Tu vois ! dit-il à la blonde. On peut capturer un animal sans aucune violence.
– Tu as raison, tu m'as fait changer d'avis à propos de la chasse. Je vais montrer ça à toutes mes copines !
Quelque temps plus tard, la blonde tient sa promesse et invite toutes ses copines blondes à participer à une grande chasse aux lièvres. Alors qu'elles longent une forêt, elles font la découverte d'un énorme trou...
– Ce doit être le terrier d'un très gros lièvre ! explique la blonde à ses copines. Plaçons-nous devant le trou pour crier « coucou ! » et tenez-vous prêtes à attraper le lièvre avec vos vestes !
Les blondes se disposent devant le trou et se mettent donc à crier...
– Coucou ! Coucou ! Coucou !...
Le lendemain, on pouvait lire dans la presse « Six blondes écrasées par un train à la sortie d'un tunnel ».

• **Quel point commun y a-t-il entre une blonde et une église ?**
Tout le monde peut y entrer !

• **Une blonde et sa copine se fâchent...**
– Tu m'avais donné ta parole et tu ne l'a pas tenue !
– Mais je ne pouvais pas la tenir, puisque je te l'avais donnée ?
– Ah oui, c'est vrai...

• **Deux blondes visitent Paris.** Dans le bus, à chaque arrêt, elles entendent « Foch » puis « Lafayette » puis « Charles de Gaulle ». La première blonde dit alors à sa copine :
– Comment on va faire pour descendre, on n'a pas donné notre nom au chauffeur !

• **Au bureau, une blonde retire sa jupe pour essuyer les vitres avec.**
– Pourquoi essuies-tu les vitres avec ta jupe !? s'étonne une collègue de travail.
– Ben... Parce que c'est une jupe à carreaux !

• **Un homme amène sa femme (une blonde) au musée afin qu'elle se cultive un peu.** Alors qu'ils sont tous les deux en admiration devant une toile de maître, le mari s'exclame :
– Qu'est-ce que j'aimerais avoir un tableau comme ça à la maison !
Et sa blonde lui répond :
– Avec tout le travail que j'ai déjà à faire à la maison, il n'est pas question que je fasse en plus de la peinture !

• **Une blonde va voir son médecin.**
– Docteur, je ne sais pas ce que j'ai, je ne me sens pas bien...
Après l'avoir examinée, le docteur lui annonce :
– Je ne vois que deux possibilités : soit vous êtes enrhumée, soit vous êtes enceinte.
– Ah ? fait la blonde. Très sincèrement, docteur, je ne vois pas qui aurait pu me refiler son rhume !

• **Une blonde entre dans une pharmacie et demande :**
– Je voudrais un dentifrice qui aurait un goût infect !

– Pour quoi faire ? s'étonne le pharmacien.
– Pour que je pense à le recracher !

• **Une blonde dit à sa copine :**
– Mon mari me trompe tellement que je me demande si mes enfants sont de lui...

• **– Pourquoi mets-tu tes lunettes ? demande l'amie d'une blonde.**
– Ben... Pour mieux voir ! T'es idiote ou quoi ! lui répond la blonde.
– Pour mieux voir quoi ?
– Ce que j'ai perdu et que je suis en train de chercher ! Qu'est-ce que t'es bête...
– Et qu'est-ce que tu cherches ?
– J'ai perdu mes lunettes...

• **Une blonde vient d'être engagée comme serveuse dans un restaurant.** À la fin de son premier service, le patron la convoque et lui explique :
– Je sais qu'auparavant vous étiez cantinière dans la restauration scolaire... Cependant, il faut que vous perdiez immédiatement l'habitude de forcer les clients à terminer leur assiette s'ils veulent avoir du dessert !

• **Une blonde se rend chez un psychiatre...**
– Quel est votre souci, mademoiselle ?
– Eh bien, depuis toute petite, je crois que je suis un chien ! Je me mets des gros colliers, je mange dans une gamelle, je dors au pied du lit...
– Je vois, je vois... Il s'agit du traumatisme du canidé. Rien de très grave. Allongez-vous sur le divan et parlez-moi de votre enfance.
– Ah non ! Je n'ai pas le droit de monter sur le canapé !

• **Tous les matins, une blonde descend dans la rue pour mettre 70 centimes dans l'horodateur alors qu'elle n'a même pas de voiture stationnée !** La pervenche qui a l'habitude de faire sa tournée à ce moment-là a remarqué le comportement étrange de la blonde. Un jour, elle se décide à l'aborder…

– Bonjour, madame. Puis-je vous demander pourquoi vous venez tous les matins mettre de l'argent ?

Et la blonde lui répond :

– C'est ma machine porte-bonheur. Depuis que je viens ici, je n'ai pas pris un seul gramme : je fais 45 kilos tous les matins !

• **Une blonde a tenté de se suicider en sautant de dix étages.** Malheureusement, elle a sauté dix fois du premier…

• **Pourquoi les blondes stériles vont toutes à l'église ?**
Pour faire une confession in vitro…

• **Pourquoi les blondes aiment-elles tant les histoires belges ?**
Parce qu'elles les font rire trois fois : la première quand on les leur raconte, la deuxième quand on les leur explique, et la troisième quand elles les comprennent !

• **En pleine ville, une blonde pousse sa voiture à 120 kilomètres/heure.** Arrivée à un carrefour, elle aperçoit un agent de police qui règle la circulation. La blonde fonce alors droit sur lui et, au dernier moment, appuie de toutes ses forces sur le frein pour tenter de s'arrêter. Les pneus fument sur l'asphalte et, dans un bruit d'enfer, la voiture s'immobilise à quelques centimètres de l'agent de police devenu livide. Ce dernier balbutie quelques mots :

– Mais… mais… vous… vous êtes folle ?

– Désolée monsieur l'agent, ma copine avait le hoquet, je voulais lui faire peur !

Répliques
de ciné

– J'ai demandé à ma femme : « Où veux-tu aller pour ton anniversaire ? » Elle m'a répondu : « Je veux aller quelque part où je ne suis encore jamais allée. » Je lui ai dit : « La cuisine par exemple ? »
Les Affranchis de Martin Scorsese (1990)

– À quoi ça sert de garder un chien paralysé ?
– Bah... C'est décoratif, c'est comme un tapis, mais vivant !
Un air de famille de Cédric Klapisch (1996)

– Tiens, chérie, c'est pour toi.
– Oh... Une laisse... C'est le chien qui va être content.
– Non, c'est un collier, chérie... Un collier...
Un air de famille de Cédric Klapisch (1996)

– Ce qu'elle avait d'tocard, la Mère Grégoire, c'était l'humeur !
– C'est surtout l'âge... Quand t'attrapes cinquante carats, t'as beau être aimable, ça ne s'remarque plus...
Archimède, le clochard de Gilles Grangier (1959)

– Monsieur boit du vin bouché ! Non, là, j'vous jure, ça dépasse tout ! Le clochard, maintenant, voilà qu'ça donne dans le chien de luxe et dans l'appellation contrôlée !
– Moi, c'genre-là, ça m'les casse !
– Eh ben moi, c'qui m'les casse, c'est les faux affranchis ! Les pétroleurs syndiqués, les anars inscrits à la Sécurité sociale ! Ça refait la Chine, ça prend la Bastille et ça s'prostitue dans des boulots d'esclave ! Ah, y sont beaux, les réformateurs du monde ! Le statisticien qui baguenaude un placard d'usurier, le chinetoque qui propage les danses tropicales et l'mange-merde qui prône la gastronomie ! Ah, il est mimi, l'triumvirat !... Un beau sujet d'pendule ! Allez, viens, ma belle ! Qu'on foute le camp, qu'on voit plus ces affreux !
Archimède, le clochard de Gilles Grangier (1959)

– Il vaut mieux s'en aller la tête basse que les pieds devant.
Archimède, le clochard de Gilles Grangier (1959)

– Oh ! j'ai compris : méchant flic, gentil flic.
– La ferme !
– Oh, OK ! Méchant flic, méchant flic.
L'Arme fatale 2 de Richard Donner (1989)

– Police ! Ouvrez !
– Comment je sais que vous êtes de la police ?
– Quand je vous aurai flingué à travers la porte, vous pourrez faire examiner les balles.
L'Arme fatale 2 de Richard Donner (1989)

– Vos papiers vérifier, fouillez monsieur !
– Vraiment chier vous me faites, Herr Kommissar !
L'As des as de Gérard Oury (1982)

« C'est une vieille tradition française. Chez nous, nous finissons toujours en caleçon dans un placard, alors pour pas perdre de temps, je me suis mis en tenue avant le dîner. »
L'As des as de Gérard Oury (1982)

– Qu'est-ce qu'on fait de l'amour ?
– Très surfait. Sur un plan biochimique, tu arrives au même résultat en mangeant deux ou trois tablettes de chocolat.
L'Associé du diable de Taylor Hackford (1997)

– Et c'est qui le lion, maintenant ?
– Viens me le dire de profil si t'es un homme !
Astérix et Obélix, Mission Cléopâtre d'Alain Chabat (2002)

– Attention, c'est très, très tiède…
Astérix et Obélix, Mission Cléopâtre d'Alain Chabat (2002)

– J'm'appelle Itinéris.
– J'écoute.
– Vous avez deux nouveaux messages.
**Astérix et Obélix, Mission Cléopâtre d'Alain Chabat
(2002)**

– Vous mettez votre arme dans la poche ?
– Vous préférez que je la mette dans mon fute et que je
m'explose les boules ?
Au revoir, à jamais de Renny Harlin (1996)

– Et toi, qui es-tu, baby ?
– Jerevka, Jerevka Tumbaisanski.
– Excuse-moi ?
– Jerevka Tumbaisanski.
– Et moi, je rêve que mes toilettes se changent en or, mais il y
a peu de chances que ça arrive !
**Austin Powers 2 - L'espion qui m'a tirée de Jay Roach
(1999)**

– Je m'appelle Felicity Bonnebez. Felicity, c'est mon nom...
et bonne... c'est ma réputation !
**Austin Powers 2 - L'espion qui m'a tirée de Jay Roach
(1999)**

– La révolution est comme une bicyclette. Quand elle
n'avance pas, elle tombe !
– Eddy Merckx !
– Non ! Che Guevara !
Les Aventures de Rabbi Jacob de Gérard Oury (1973)

– Demande-lui de réengager, il te dira voui ! Demande-lui de
té augmenter, il te dira voui !
– De me doubler ?
– Il te dira voui !
– De me tripler ?

– Il te dira non !
Les Aventures de Rabbi Jacob de Gérard Oury (1973)

– Bon, récapitulons. Si quelqu'un vous demande l'heure, du feu ou le chemin de la mer…
– On le flingue !
– Voilà !
Les Barbouzes de Georges Lautner (1964)

– Dans deux ans, au revoir m'sieurs-dames ! J'serai à l'échelon sept, les mômes sont élevés, j'ai ma cabane en Dordogne, la retraite faut la prendre jeune.
– Faut surtout la prendre vivant. C'est pas dans les moyens de tout le monde !
Les Barbouzes de Georges Lautner (1964)

– Et maintenant, le monstre, comment on le supprime ?
– Ben, je suggère un truc de bonne femme, euh… genre, euh… tisane, vous savez, la mauvaise santé par les plantes…
– Oh, c'est un peu triste. Non, j'aimerais mieux quelque chose de plus enlevé, de plus allègre, quelque chose de… dans le genre de ça !
– Qu'est-ce que c'est ?
– Ça ? Un dérivé lent de la nitroglycérine… Cinq-six gouttes dans le potage et le patient explose ! Poum ! De l'intérieur !
– Écoutez Boris, mon vieux, cessez de jouer avec vos p'tits produits, sinon un jour vous nous ferez péter la gueule ! Hein ?
– Oooh… Si vous préférez le bricolage !
Les Barbouzes de Georges Lautner (1964)

– Ah ! Le chanteur, ché un gars d'chez nous !
– Ah oui ?
– Ouais, ch'est Ch'ti-Vie Wonder !
Bienvenue chez les Ch'tis de Dany Boon (2008)

– Je brille, contentez-vous de bronzer !
Blanche de Bernie Bonvoisin (2002)

– J'ai l'impression d'être un unijambiste dans un concours de coups de pied au cul !
Le Blob de Chuck Russell (1988)

– Cela fait une demi-heure que je vous dévore des yeux depuis l'autre bout de la pièce.
– Eh bien, retournez-y, et bon appétit !
Bodyguard de Mick Jackson (1992)

– Quand on tire, on raconte pas sa vie...
Le Bon, la Brute et le Truand de Sergio Leone (1966)

– Tes amis ont tort de traîner comme ça près de la rivière, ils s'exposent à attraper un rhume... ou une balle.
Le Bon, la Brute et le Truand de Sergio Leone (1966)

– Alors, Mémé ? C'est nous. Ça s'est bien passé ?
– Ça va, ça va... Mais si, l'année prochaine, vous pouviez me laisser une couverture pour la nuit ?
– Fallait pas vous gêner mémé, fallait prendre le tapis !
Le bonheur a encore frappé de Jean-Luc Trotignon (1986)

– C'est la coutume de manger fromage d'abord. Ma femme elle fait ce fromage.
– C'est gentil.
– Elle a fait fromage avec bon lait de son sein.
Borat de Larry Charles (2006)

– Ça farte, coquine ?
– Ça farte !
– Tu sais, tu es comme la chaleur d'une canicule ?
– Ah bon, c'est-à-dire ?
– Insupportable !
Brice de Nice de James Huth (2005)

– Tu sais que ton mec est complètement canon ?
– Oui, je sais, il est super mignon !
– En même temps, tu sais ce qu'on dit …
– Non, quoi ?
– Les canons, ça tire des boulets !
Brice de Nice de James Huth (2005)

– J'ai eu des regards avec une nana, à mon avis, y'aura des ouvertures.
– Ah oui, tu penses à ma femme ?
– Non, pourquoi elle pense à moi, ta femme ?
Les Bronzés de Patrice Leconte (1978)

– J'ai même essayé de me suicider !
– Comment ça ?
– On n'est jamais très original dans ces moments-là… J'ai mis l'adagio d'Albinoni, j'ai avalé deux tubes de laxatif, et puis hop ! j'ai perdu 16 kilos, et ma moquette.
Les Bronzés de Patrice Leconte (1978)

– Oh, putain, je me suis niqué 3 827 kilos de gonzesses, je me dégoûte des fois, tu sais. Et toi, t'en es à combien ?
– 125.
– Eh ben, mon vieux, faut t'y mettre !
– Attention, en une seule fois !
Les Bronzés de Patrice Leconte (1978)

– Je nage dans le bonheur…
– En tout cas, tu nages pas dans ton tee-shirt !
Les Bronzés 3, Amis pour la vie de Patrice Leconte (2006)

– Allez, viens !
– Je suis fatiguée !
– Avance ! Puisque t'es fatiguée !
Les Bronzés font du ski de Patrice Leconte (1979)

– Mais enfin, j'étais à deux doigts de conclure, t'as tout foutu en l'air ! Je sais pas ce qui me retient de te casser la gueule, tiens !
– La trouille, non ?
– Ouais, ça doit être ça.
Les Bronzés font du ski de Patrice Leconte (1979)

– Je m'appelle Patrick Chirac.
– Et tu n'as jamais pensé à changer de nom ?
– Ben non, pourquoi c'est moi qui changerais ?
Camping de Fabien Onteniente (2006)

– J't'enverrai un gonze dans la semaine. Un beau brun avec des petites bacchantes. Grand, l'air con.
– Ça court les rues, les grands cons !
– Oui, mais celui-là, c'est un gabarit exceptionnel ! Si la connerie se mesurait, il servirait de mètre étalon ! Y serait à Sèvres !
Le cave se rebiffe de Gilles Grangier (1961)

– L'honnêteté, ça se paye.
– L'éducation, ça s'apprend pas.
Le cave se rebiffe de Gilles Grangier (1961)

– Dans la vie, ne pas reconnaître son talent, c'est faciliter la réussite des médiocres.
Le cave se rebiffe de Gilles Grangier (1961)

– On serait riches, on sera heureux.
– Où est-ce que tu as appris que l'argent faisait le bonheur ? T'as été élevée chez les laïcs, toi ?
Cent mille dollars au soleil de Henri Verneuil (1964)

– Dans la vie on partage toujours les emmerdes, jamais le pognon !
Cent mille dollars au soleil de Henri Verneuil (1964)

– Ici, c'est une grande famille. Quand un gars veut une augmentation, il vient me voir, je l'écoute, et hop ! je le vire.
Cent mille dollars au soleil de Henri Verneuil (1964)

– On ne dirige pas une chocolaterie avec une famille qui s'accroche à vous comme un vieux croûton à sa canne. Ne le prenez pas mal !
– Y'a pas d'mal… P'tit con…
Charlie et la Chocolaterie de Tim Burton (2005)

– Il est trop petit ton séchoir !
– Il vaut mieux un petit séchoir qu'un grand chez les autres !
Chouchou de Merzak Allouache (2003)

– Ils font un thé divin… Ceylan.
– C'est lent ?
– C'est leur spécialité.
– Ah oui ! Non, si c'est lent, j'vais prendre… à la grenadine !
Chouchou de Merzak Allouache (2003)

– Va dans l'métro, Satanas !
Chouchou de Merzak Allouache (2003)

– Odile, tu connais la différence entre un pull-over et une moule ?
– Nan.
– Un pull-over ça moule et … hé ! hé !… et une moule, ça pue l'ovaire !
La Cité de la peur d'Alain Berbérian (1994)

– Tu as une brosse ?
– Merci, toi aussi !
– Tu as été formidable.
– Oui, dans le tiroir près du téléphone !
La Cité de la peur d'Alain Berbérian (1994)

– La tête dure et la fesse molle... Le contraire de ce que j'aime.
Comment réussir quand on est con et pleurnichard de Michel Audiard (1974)

– Si t'avais connu les samedis d'autrefois ! Quand la paye tombait directement de l'usine au comptoir... Maintenant, elle passe par les pompes à essence, la paye !
Comment réussir quand on est con et pleurnichard de Michel Audiard (1974)

– C'est pas grave...
– C'est pas grave ! Vous en avez de bonnes ! Qu'est-ce que je vais devenir moi ?
– Eh bien... piéton !
Le Corniaud de Gérard Oury (1965)

– Vous allez toucher la récompense de 100 millions pour le Youkounkoun !
– Alors, je suis pas si councoun que j'en ai l'air !
Le Corniaud de Gérard Oury (1965)

– Moi, je lève mon verre à la plus formidable bande de salopards que j'ai jamais rencontrée. Je lève mon verre au tas d'ordures qui m'entoure, et y'a d'quoi remplir une sacrée poubelle !
Coup de tête de Jean-Jacques Annaud (1979)

– C'est pas une femme, c'est un poisson. De loin elle brille, de près elle pue !
Le Créateur d'Albert Dupontel (1999)

– Sinon, ça va ? Vous avez assez d'argent, tout ça ?
– Ouais, ça va...
– Bon, ben... la prochaine fois, tu prends des déménageurs !
Delphine 1, Yvan 0 de Dominique Farrugia (1996)

– Il faut mettre un timbre, si tu veux que le courrier parte...
– Il est hors de question que je lèche le cul de la République !
Les Démons de Jésus de Bernie Bonvoisin (2003)

– Tu ouvres le dico à « chiante », y'a pas son nom, y'a sa photo !
Les Deux Papas et la maman de Jean-Marc Longval (1996)

– 01 47 4... Je vais le faire moi-même. Il s'appelle Juste Leblanc.
– Ah bon, il a pas d'prénom ?
– Je viens de vous le dire : Juste Leblanc.
– ...
– Leblanc c'est son nom, et c'est Juste son prénom.
– Aaah...
– Monsieur Pignon, votre prénom, à vous, c'est François, c'est juste ?
– Oui.
– Eh ben lui, c'est pareil, c'est Juste.
Le Dîner de cons de Francis Veber (1998)

– C'était votre sœur.
– J'ai pas de sœur.
– Vous n'avez pas de sœur ? Je lui ai dit : « Qui est à l'appareil ? » Elle m'a dit « sa sœur ».
– Il a appelé Marlène !
– C'est pas votre sœur ?
– C'est son nom « Sasseur » ! Marlène Sasseur !
Le Dîner de cons de Francis Veber (1998)

– À la Saint-Valentin, si elle te tient la main, vivement la Sainte-Marguerite !
Disco de Fabien Onteniente (2008)

– M. le comte se paie ma tête.
– Si ce n'était que ta tête !

– Justement, ça c'est en plus !
Elle boit pas, elle fume pas, elle drague pas, mais... elle cause ! de Michel Audiard (1970)

– Les cons, ça croit en tout. C'est à ça qu'on les reconnaît.
Elle cause plus... elle flingue de Michel Audiard (1972)

– Parle à mon colt, ma tête est malade !
Elle cause plus... elle flingue de Michel Audiard (1972)

– J'ai toujours entendu dire du mal des belles-mères, y doit bien y en avoir des chouettes ?
– Peut-être... Celles qui voyagent beaucoup, très loin. Certaines exploratrices...
Est-ce bien raisonnable de Georges Lautner (1981)

– J'savais pas que l'amour c'était une maladie. En tout cas, vous, vous risquez rien, vous vous êtes fait vacciner !
Et Dieu créa la femme de Roger Vadim (1956)

– Tu m'éclaires ? Ce type de roucoulement, c'est prénuptial ou post-coïtal ?
– Et ta connerie, elle est congénitale ?
Le Fabuleux Destin d'Amélie Poulain de Jean-Pierre Jeunet (2000)

– Messieurs... Messieurs, si je vous ai arrachés à vos pokers et à vos télés, c'est qu'on est au bord de l'abîme... La maladie revient sur les poules... Et si j'étais pas sûr de renverser la vapeur, je vous dirais de sauter dans vos autos comme en 40 ! Le tocsin va sonner dans Montparnasse... Y'a le choléra qu'est de retour... La peste qui revient sur le monde... Carabosse a quitté ses zoziaux ! Bref, Léontine se repointe.
Faut pas prendre les enfants du Bon Dieu pour des canards sauvages de Michel Audiard (1968)

– Dites, ça doit prendre longtemps pour raser ces jambes-là !
– Je suppose que c'est un compliment ?
Le Flic de Beverly Hills 2 de Tony Scott (1987)

– Les flics, c'est comme les cochons : ça sent de loin. J'suis un bon musulman, moi ! Oui... Il sent le porc ce mec-là...
Le Flic de Beverly Hills 2 de Tony Scott (1987)

– Je suis romancière, figure-toi. Edmonde Puge Rostand, t'as rien lu ?
– Avec moi, si t'écris pas dans les bulles, y'a aucune chance.
Flic ou voyou de Georges Lautner (1979)

– Lorsque vous ne détournez pas les automobilistes du droit chemin, à quoi jouez-vous ?
– Au gendarme et au voleur. Je joue une mi-temps dans chaque camp.
Flic ou voyou de Georges Lautner (1979)

– Les relations, c'est pas des gilets pare-balles.
Flic ou voyou de Georges Lautner (1979)

– Ne vous excusez pas ! Ce sont les pauvres qui s'excusent ! Quand on est riche, on est désagréable !
La Folie des grandeurs de Gérard Oury (1971)

– T'es déjà monté sur un crevettier ?
– Non, mais je suis déjà monté sur plein d'autres d'arbres.
Forrest Gump de Robert Zemeckis (1994)

– Tu sais, la moitié de ces putes bridées, c'est des officiers du Viêt-cong, et l'autre moitié, c'est des tubardes. Alors surtout, tu baises que celles qui toussent. »
Full Metal Jacket de Stanley Kubrick (1987)

– Tango, ça s'écrit comment ?
– Bah, comment voulez-vous que ça s'écrive ? Comme Paso doble !?
Garde à vue de Claude Miller (1981)

– C'est une très bonne idée, Cruchot !
– Oui, mon adjudant.
– D'ailleurs, cela aurait pu être mon idée.
– Ben... Oui, mon adjudant.
– D'ailleurs, c'est mon idée, Cruchot !
Le Gendarme de Saint-Tropez de Jean Girault (1964)

– La putain est indissociable des choses de la mer. Je ne conteste pas qu'elle vérole un peu le matelot, mais elle enjolive la conversation !
La Grande Sauterelle de Georges Lautner (1967)

– Évidemment, c'est pas des chaussures pour la marche que vous avez là.
– Puisque vous me le proposez si gentiment, j'accepte !
– Quoi ?
– Que vous me prêtiez vos souliers.
– Bah ! Vous chaussez du combien ?
– C'est du comme vous !
La Grande Vadrouille de Gérard Oury (1966)

– Tout le charme de l'Orient... Moitié loukoum, moitié ciguë... L'indolence et la cruauté... En somme, le Coran alternatif.
Le Guignolo de Georges Lautner (1980)

– Tu brilles aussi fort qu'un miroir de bordel, même un aveugle te verrait à 10 lieues d'ici.
– J'aime bien que les gens me regardent, moi.
– Ils ne partagent pas toujours ton plaisir...
Mon nom est Personne de Tonino Valerii (1973)

– Le crétin chimiquement pur, j'me demande où tu vas l'chercher ?
– Trente-six quai des Orfèvres. J'suis fidèle à mes fournisseurs.
Le Pacha de Georges Lautner (1968)

– Y a pas de mots pour dire ce que vous êtes, monsieur Ramirez… Enculé !
Papy fait de la résistance de Jean-Marie Poiré (1983)

– Je repasserai plutôt à l'occasion…
– C'est cela, repassez plutôt à ce moment-là !
Le Père Noël est une ordure de Jean-Marie Poiré (1982)

– Moi, j'ai presque fini mes gants pour les p'tits lépreux de Jakarta… Je trouve ça complètement inutile. C'est tout la Croix-Rouge, ça ! Ils me demandent de faire des gants à trois doigts ! Bah, dites ! Vous croyez pas que j'aurais plus vite fait de faire des moufles ?
– Mais bien sûr ! Bien sûr ! Mais Thérèse… si je peux me permettre… une bonne paire de chaussettes, et hop ! Oh… on dit de ces bêtises quelquefois !
Le Père Noël est une ordure de Jean-Marie Poiré (1982)

– Ton Orangina ne daterait pas de Belinda 73 ?
Podium de Yann Moix (2004)

– J'ai trouvé une bombe ! Elle a des yeux qui crient « braguette » !
Podium de Yann Moix (2004)

– Je raccompagne ce petit jeune homme.
– Ne vous donnez pas cette peine, je connais le chemin.
– Oui, ben… Il faudrait voir à l'oublier !
– Soit ! Les manières y gagneront ce que l'amitié y perdra.
– Ben, c'est ça, on s'aimera moins !
Les Tontons flingueurs de Georges Lautner (1963)

– Nous par contre, on est des adultes… On pourrait peut-être s'en faire un p'tit ?
– Maître Folace ?
– Seulement le tout-venant a été piraté par les mômes. Qu'est-ce qu'on se fait… On se risque sur le bizarre ? Ça va rajeunir personne !
– Ah, nous v'là sauvés !
– Sauvés… Faut voir !
– Tiens, vous avez sorti le vitriol ?
Les Tontons flingueurs de Georges Lautner (1963)

– Non mais t'as déjà vu ça ? En pleine paix, il chante, et pis crac ! Un bourre-pif ! Mais il est complètement fou ce mec !? Mais moi, les dingues, j'les soigne. J'm'en vais lui faire une ordonnance, et une sévère. J'vais lui montrer qui c'est, Raoul ! Aux quat'coins d'Paris qu'on va l'retrouver éparpillé par petits bouts, façon puzzle… Moi, quand on m'en fait trop, j'correctionne plus, j'dynamite… j'disperse… j'ventile…
Les Tontons flingueurs de Georges Lautner (1963)

– C'est pas parce que des gens sentent des pieds qu'ils sont du Moyen Âge… Ici, on a quelques spécimens, ils sont bien d'aujourd'hui !
Les Visiteurs de Jean-Marie Poiré (1993)

– Quant à Monsieur, s'il n'est pas capable de comprendre qu'il vaut mieux s'appeler Jacquard que Jacquouille, qu'il prenne de la Juvamine !
Les Visiteurs de Jean-Marie Poiré (1993)

L'équipe de France... Ils sont devenus foot !

• **Pourquoi Raymond Domenech a-t-il les mains toutes lisses ?**
Parce que pendant des années il s'est frotté les mains en disant : « Le prochain match, on le gagne ! »

• **Pourquoi les joueurs de l'équipe de France mettent-ils un survêtement pour monter dans l'avion ?**
Parce qu'il est écrit « No smoking » !

• **Qu'est-ce qu'un QI de 11 ?**
C'est l'équipe de France !

• **Pourquoi les joueurs de l'équipe de France savent-ils si bien peindre ?**
Parce qu'ils en tiennent une couche !

• **Pourquoi les joueurs de l'équipe de France ne savent-ils pas changer une ampoule électrique ?**
Parce que ce ne sont pas des lumières...

• **Pourquoi les joueurs de l'équipe de France ont-ils un neurone de plus que les chevaux ?**
Pour qu'ils ne chient pas sur la pelouse !

• **Qu'est-ce qu'un joueur de l'équipe de France qui obtient un QI supérieur à 90 lors d'un test ?**
Un tricheur !

• **Quelle différence y a-t-il entre les joueurs de l'équipe de France et un yaourt ?**
Au bout d'un certain temps, le yaourt développe une certaine forme de culture...

• **Quelle différence y a-t-il entre une huître et un joueur de l'équipe de France ?**
L'une développe une perle de culture, l'autre est une perle d'inculture...

• Comment meurt un neurone d'un joueur de l'équipe de France ?
Seul...

• Que se passe-t-il quand un joueur de l'équipe de France entre dans un zoo ?
Le QI général moyen baisse !

• Qu'est-ce que Djibril Cissé s'est fait tatouer sur le bras ?
Son adresse.

• Quelle différence y a-t-il entre un joueur de l'équipe de France et un Pokémon ?
Le Pokémon, il évolue !

• Quelle différence y a-t-il entre un joueur de l'équipe de France et un miroir ?
Le miroir réfléchit !

• Quelle différence y a-t-il entre un joueur de l'équipe de France et une prison ?
Dans une prison, il y a plusieurs cellules grises !

• Qu'est-ce que des joueurs français dans un Jacuzzi ?
Une soupe de navets !

• Pourquoi est-il surprenant que l'équipe de France ne soit pas parvenue à passer le premier tour de la Coupe du monde 2010 ?
Parce que normalement, ils sont habitués à sortir des poules...

• Lors du Mondial 2010, l'équipe de France a visité un orphelinat en Afrique du Sud. « Ça fait chaud au cœur de provoquer des sourires sur les visages de gens sans espoir, luttant sans cesse contre l'impossible »... a déclaré Jamal Umboto, 6 ans.

• Le CSA vient d'exiger que tous les matchs de l'équipe de France soient désormais retransmis après 23 heures et avec l'avertissement « interdit au moins de 18 ans ». En effet, la vue de 11 trous du cul se faisant défoncer pendant 90 minutes est susceptible de choquer la sensibilité des plus jeunes.

• Pourquoi les joueurs de l'équipe de France de football ont-ils retiré leur maillot à la fin du match France-Mexique ?
Parce que le nettoyage aztèque était terminé...

• Pourquoi les joueurs de l'équipe de France de football sont-ils revenus de la Coupe du monde avec un chapeau ?
Parce qu'ils ne sont que des sombres héros...

• Qui peut sauver l'équipe de France de football ?
Thierry Henry ! Il reste le meilleur pour donner un coup de main...

• Comment faire briller les yeux d'un joueur de l'équipe de France ?
En allumant une lampe torche et en l'éclairant par l'intérieur de ses oreilles !

• Un petit garçon regarde la télé et hurle :
– Buuuuuuut ! Buuuuuuuut ! Papa ! Papa ! Les Français ont marqué un but !
Et son père lui répond :
– Mais non... C'est la pub !

• Quel est le seul médicament qui peut être administré aux joueurs de l'équipe de France ?
Le suppositoire, car c'est la seule chose que peuvent prendre ces 11 trous du cul !

• **Pourquoi 18 joueurs de l'équipe France se sont-ils reconvertis au golf ?**
Parce qu'il faut bien que ces 18 trous du cul servent à quelque chose !

• **Pourquoi les joueurs de l'équipe de France sont-ils les bienvenus sur toutes les pelouses ?**
Parce qu'il n'y a rien de mieux qu'une chèvre pour brouter l'herbe !

• **Quelle différence y a-t-il entre un bardeau et une mule ?**
Le bardeau et le résultat d'un croisement entre un cheval et une ânesse, contrairement à la mule qui est le résultat du croisement entre une jument et un joueur de l'équipe de France...

• **À la mi-temps d'un match, un journaliste et Raymond Domenech se retrouvent côte à côte aux urinoirs.**
Domenech remarque que le journaliste pisse en faisant trois jets.
– Comment se fait-il que vous pissiez ainsi ? lui demande Raymond.
– Avant d'être journaliste, je faisais du foot. Un jour, j'ai reçu un coup de crampons dans les parties intimes et depuis... Je fais trois jets en pissant !
Le journaliste regarde alors Domenech pisser et constate :
– Oh ! Et vous, vous pissez en faisant 2. 4. 6. 10. Combien de jets faites-vous ? C'est aussi un coup de crampons ? On voit que vous avez été un joueur professionnel !
– Non ! répond Domenech. Moi, c'est parce que je suis trop con pour accepter de me déculotter devant un journaliste !

• **Comment dit-on « au revoir » en mexicain ?**
Et 1 ! Et 2 zéro !

• **Quel est le nouveau sport de Thierry Henry ?**
Le handball !

• **Un supporter de l'équipe de France qui n'a qu'une seule jambe fait la découverte d'une lampe magique.** Il la ramasse, puis la frotte... Soudain, un génie sort de la lampe ! Il lui dit :
– Pour te remercier de m'avoir libéré, je t'accorde le droit de faire un vœu et un seul !
Le supporter lui demande alors :
– Comme tu peux le voir, je n'ai qu'une seule jambe et pourtant... j'aimerais devenir le plus grand joueur de tous les temps !
– Je ne suis pas un dieu ! répond le génie. Ne fais pas des vœux impossibles à exaucer !
Le supporter réfléchit un instant et formule alors un autre vœu :
– J'aimerais que l'équipe de France soit de nouveau championne du monde !
Et le génie lui répond :
– Bon... Dans quelle équipe souhaites-tu devenir le meilleur joueur de tous les temps ?

• **Quelle différence y a-t-il entre un artiste minable et un joueur de l'équipe de France ?**
Un artiste minable est intermittent du spectacle et un footballeur français fait des mi-temps interminables, sans spectacle...

• **Combien faut-il de joueurs de l'équipe de France pour remplacer une ampoule électrique ?**
Onze ! Un qui change l'ampoule, puis dix autres pour lui sauter de joie dessus ...

• **Un couple qui souhaite divorcer se dispute la garde du fils.** Tous étant réunis devant le juge, ce dernier demande au petit garçon :
– Avec qui préférerais-tu vivre ? Ton papa ou ta maman ?
– Pas avec maman !
– Et pourquoi ?

– Parce que maman, elle n'arrête pas de me donner des baffes !
– Ah… Avec ton papa alors ?
– Non, pas avec papa !
– Et pourquoi ?
– Parce que papa n'arrête pas de me donner des coups de pied aux fesses !
– Mais alors, avec qui voudrais-tu vivre ?
– Avec un joueur de l'équipe de France !
– Et pourquoi ?
– Parce que, eux, il y a longtemps qu'ils ne battent plus personne !

• **Pourquoi ne faut-il pas toucher la femme d'un joueur de l'équipe de France ?**
Parce qu'on ne joue pas avec la chatte d'une chèvre !

• **Trois enfants trouvent une lampe magique.** Ils la frottent et un génie en sort.
– Vous pouvez faire chacun un vœu ! leur dit-il.
Le premier enfant qui adore les voitures demande :
– J'aimerais avoir des petites voitures pour jouer avec !
Et aussitôt, le génie, qui aime voir les choses en grand, fait de l'enfant le nouveau propriétaire de la General Motors !
Le deuxième enfant fait son vœu.
– Moi, j'aimerais avoir un téléphone portable rien qu'à moi !
Et aussitôt, le génie fait de l'enfant le propriétaire de Nokia !
Le troisième enfant réfléchit un instant et, comme il adorerait aller à Disneyland, il dit :
– Moi, j'aimerais beaucoup avoir un costume de Mickey !
Et aussitôt, le génie en fait un joueur cadre de l'équipe de France !

• **Quel point commun y a-t-il entre l'équipe de France de Coupe du monde 2002 ou 2010 et Lionel Jospin ?**
Ils se sont vus en finale avant de disputer le premier tour !

• M. et Mme Delamin ont trois fils. Comment les appellent-ils ?
Thierry, Henry, Marc Delamin.

• Que peut-on dire d'un joueur de l'équipe de France avec une moitié de cerveau ?
Qu'il a été gâté par la nature !

• Qu'est-ce qu'un Français au deuxième tour de la Coupe du monde ?
Un arbitre !

• Raymond Domenech annonce à Nicolas Anelka :
– J'ai décidé que tu allais jouer avant !
– Va te faire enculer, fils de pute ! Je veux jouer en même temps que les autres !

• Qu'y a-t-il d'écrit sous les cannettes des joueurs de l'équipe de France ?
Ouvrir de l'autre côté !

• Qu'est-ce qu'un ballon dans les tribunes ?
Un tir de l'équipe de France !

• Comment faire reboucher une bouteille de champagne à un Français ?
Il suffit de lui rediffuser la finale de la Coupe du monde 2006…

• Enfin, pour conclure, mieux vaut être onze et tristes que Trézéguet.

Chacun son job

Auto-entrepreneur

• Une dame a l'habitude de donner tous les jours un billet de 20 euros à un SDF qui fait la manche à la sortie d'une boulangerie. Un jour, elle constate que le SDF est maintenant accompagné d'un autre infortuné :
– Bonjour ! Vous êtes deux maintenant ?
Et le SDF lui répond :
– Oui, mais seulement pour quelques jours. Maintenant que mon affaire est bien lancée, j'ouvre une succursale un peu plus loin et je forme mon associé qui prendra ma succession ici.

Avocat

• Un avion en difficulté s'apprête à faire un atterrissage forcé et extrêmement risqué. Le pilote demande à l'hôtesse de dire aux passagers d'attacher leur ceinture et de se tenir la tête bien calée entre les genoux. Quelques instants plus tard, l'hôtesse revient dans la cabine de pilotage.
– Ça y est ? demande le pilote. Tout le monde est attaché et a la tête calée entre les jambes ?
– Oui, commandant ! Tout le monde, sauf cet avocat qui passe dans les rangs pour distribuer sa carte de visite.

• Une femme demande à une autre :
– Il paraît que votre mari est avocat ?
– C'est exact.
– Quelle est sa spécialité ?
– C'est un avocat criminel.
– Oui, ça tombe sous le sens, mais quelle est sa spécialité ?

• Un jeune avocat vient d'ouvrir son cabinet. Il s'installe dans son bureau tout neuf qui sent bon le bois et le cuir, s'assoit confortablement dans son gros fauteuil et attend impatiemment le premier client... Soudain, quelqu'un frappe

à la porte et entre. Le jeune avocat se saisit rapidement du téléphone et fait semblant de converser :
– … Oui… Absolument ! Vous savez très bien, monsieur le juge, qu'avec moi mon client a toutes les chances d'être acquitté… Voilà ! Insistez pour que l'accusation retire sa plainte, c'est ce qu'il y a de mieux à faire. Merci, monsieur le juge. Au revoir !
L'avocat se tourne vers le visiteur et lui demande :
– Que puis-je faire pour vous ?
– B'jour ! C'est les Télécom… J'viens vous brancher le téléphone.

• **Un rabbin, un hindou et un avocat voyagent ensemble.**
Ils font une halte dans une ferme et demandent l'hospitalité au fermier. Le paysan ne peut leur offrir qu'une seule chambre avec deux lits et propose à celui qui ne dormira pas dans la chambre de se coucher sur le foin, dans la grange. Les trois hommes acceptent et le rabbin se dévoue pour aller coucher dans la grange. Une fois tout le monde couché, le rabbin vient frapper à la porte de la chambre et dit :
– Je suis désolé, je ne peux pas dormir dans la grange, il y a un cochon dedans et ma religion m'interdit…
– Pas de problème ! dit l'hindou. Prenez ma place, j'y vais.
L'hindou laisse donc son lit au rabbin et part dormir dans la grange. Un moment plus tard, l'hindou revient et frappe à la porte :
– Je suis désolé, je ne peux pas dormir dans la grange, il y a une vache dedans et ma religion…
– Pas de problème ! dit l'avocat. Moi, je n'ai aucune religion ! Prenez ma place, je vais dormir dans la grange !
L'avocat part donc dormir dans la grange et un moment plus tard… la vache et le cochon frappent à la porte de la chambre !

• Un homme qui doit se faire juger fait une proposition malhonnête à son avocat :

– Si vous m'obtenez qu'un an de prison, je vous donne 8 000 euros supplémentaires !

Le jour du jugement, le type est condamné à un an de prison ferme... Il est fou de joie et extrêmement soulagé !

– Merci ! Je n'oublierai pas ce que vous avez fait pour moi ! dit-il à son avocat. Je vais vous régler vos 8 000 euros immédiatement !

– C'est-à-dire que... En fait, dit l'avocat gêné, j'ai dû convaincre le juge, et ça n'a pas été facile...

– Et ?

– Et j'ai dû lui promettre 5 000 euros, si bien qu'il ne resterait que 3 000 pour moi...

– Je comprends ! Je vous fais un chèque de 13 000 euros ! C'est amplement mérité.

Le type rédige son chèque et le donne à l'avocat...

– Voilà pour vous ! Et encore merci de vous être battu et d'avoir convaincu le juge !

– De rien ! Ça n'a vraiment pas été facile ! Le juge semblait vous apprécier et il voulait vous condamner à seulement quatre mois avec sursis !

Barman

• Un Juif entre dans un café. Le barman est arabe, le Juif lui demande :

– Je voudrais une limonade, sale Arabe !

– Quoi ? Tu pourrais me respecter, non ? Qu'est-ce que tu dirais si tu étais à ma place et que je te disais « sale Juif » ?

– Je ne sais pas. Essayons... Je fais le barman, et toi, tu fais le client.

L'Arabe sort du café et rentre en disant :

– Hé ! Sale Juif ! Sers-moi une limonade !

Et le Juif lui répond :

– Désolé, ici on ne sert pas les Arabes.

• Un type qui n'a plus de bras entre dans un bar et commande une bière. Le barman le sert et le client lui demande s'il ne peut pas l'aider à boire sa bière. La barman, serviable, saisit le verre et le lui fait boire. Au moment de payer, le manchot dit au barman que l'argent est dans sa poche et qu'il n'a qu'à se servir. Le barman plonge la main dans la poche du client et prend l'argent nécessaire pour régler la consommation. Le manchot demande ensuite au barman de lui indiquer où se trouvent les toilettes. Le barman réfléchit un instant et lui répond :
– Dans le bar d'en face.

Boxeur

• Un professionnel de la boxe demande à un boxeur qui vient de se faire massacrer, qui a le nez éclaté, les arcades ouvertes, et qui pisse le sang de partout :
– Dites ! Ça vous dirait de passer professionnel ou vous souhaitez continuer à boxer pour le plaisir ?

Cafetier

• Le bar est vide et le cafetier corse dit à sa femme :
– Je monte faire la sieste.
– Pourquoi ?
– Je ne peux pas rester sans rien faire...

Coiffeur

• Un chauve entre dans un salon de coiffure...
– Que puis-je faire pour vous ? lui demande le coiffeur étonné par sa présence.
– Voilà. J'ai perdu mes cheveux. Aucun produit ne fonctionne et les implants n'ont pas marché non plus. Si je

INSTALLEZ-VOUS DANS LE FAUTEUIL...

ALORS... DITES-MOI COMMENT JE LES COUPE !

J'AIMERAIS UN CÔTÉ PLUS LONG QUE L'AUTRE, DEUX OU TROIS TROUS DERRIÈRE ET QUE VOUS UBLIEZ DE COUPER QUELQUES TOUFFES DE CHEVEUX D'ICI DE LA...

MAIS ENFIN, JE NE PEUX PAS FAIRE ÇA !

OH SI ! VOUS L'AVIEZ PARFAITEMENT RÉUSSI LA DERNIÈRE FOIS !

D.Truchi

pouvais avoir autant de cheveux que vous, je vous donnerais
10 000 euros !
– Bien, installez-vous dans le fauteuil !
– Vraiment ? Vous pouvez ?
– Bien entendu !
Le client s'installe dans le fauteuil, le coiffeur s'empare de la
tondeuse et… se rase les cheveux !

Cordonnier

• En ressortant son manteau d'hiver du placard, une femme
retrouve dans sa poche le ticket d'un cordonnier pour une
paire de chaussures qu'elle a oublié d'aller chercher voilà
au moins un an ! Elle décide malgré tout de se rendre chez le
cordonnier.
– Bonjour, monsieur. À tout hasard… Est-ce que vous auriez
toujours cette paire de chaussures ? demande-t-elle en lui
tendant le ticket.
Le cordonnier part dans sa remise et revient quelques instants
plus tard avec des chaussures poussiéreuses, aux semelles
décollées.
– C'est pas prêt, vous pourriez repasser vendredi ? J'ai été
débordé ces derniers temps.

Cosmonaute

• Un policier russe frappe à la porte d'un cosmonaute. Un
petit garçon lui ouvre la porte…
– C'est la police ! Nous venons arrêter ton père !
– Il n'est pas là, il est parti faire six fois le tour de la Terre en
Soyouz, il sera rentré en fin de journée.
– Et ta mère, où est-elle ?
– Elle n'est pas là, elle est partie faire la queue pour acheter
des pommes de terre, elle devrait revenir demain soir…

Douanier

• **La douane volante contrôle un camion en provenance de Grande-Bretagne.** Le douanier ouvre un colis suspect qui semble avoir été caché au milieu de la marchandise transportée...
– Qu'est-ce que c'est ? demande-t-il au chauffeur.
– De... de la cocaïne...
– Ah ! Heureusement qu'il ne s'agit pas de farine de viande anglaise parce qu'autrement, vous étiez bon !

• **Un Français se présente à la frontière suisse. Le douanier lui demande :**
– Rien à déclarer ?
– Non.
– Pas d'alcool ? Pas de tabac ?
– Non.
– Pas de devises ?
– Si ! Liberté, égalité, fraternité !

Électricien

• **Un électricien vient d'engager un apprenti et lui explique son travail.**
– Prends un de ces deux câbles électriques dénudés !
L'apprenti empoigne un des deux câbles.
– Ça y est patron ! Et maintenant ?
– Tu ne sens rien ?
– Non...
– Alors surtout ne touche pas l'autre, il y a du 20 000 volts dedans !

Employé de bureau

• **Le patron d'une entreprise constate qu'un de ses employés est absent.** Le lendemain matin, il lui demande :
— Pourquoi n'étiez-vous pas là, hier ?
— Je n'ai pas pu venir lundi, j'ai été malade.
— Bon, ça peut arriver, mais la prochaine fois, téléphonez pour prévenir de votre absence !
Le lundi suivant, l'employé téléphone à son patron...
— Je suis désolé, mais... je suis malade.
— Encore ! Bon, à demain j'espère !
Sept jours plus tard, le lundi, l'employé appelle de nouveau son patron :
— Je suis navré, mais je ne vais pas pouvoir venir, je suis malade.
— Quoi ! Encore ? Ça fait trois fois ! Comment voulez-vous que je vous croie ? Qu'avez-vous, pourquoi êtes-vous malade ?
— Eh bien... Je veux bien vous le dire, mais promettez que cela restera entre nous...
— Oui. Je vous écoute !
— Eh bien... Ma sœur ne va pas très bien en ce moment. Son mari l'a quittée. Et ma femme et moi, on ne s'entend plus très bien non plus. Tous les lundis matin, avant d'aller travailler, j'ai pris l'habitude d'aller saluer ma sœur. Mais... voilà trois lundis que nous parlons de nos problèmes et que, pour nous réconforter, nous finissons par faire l'amour toute la journée...
— Hein ! Avec votre sœur ! Mais vous êtes malade ?
— Je vous l'avais bien dit : je suis malade.

• **Un type téléphone à son employeur et lui annonce :**
— Je ne vais pas pouvoir venir travailler aujourd'hui... J'ai un terrible mal de crâne, des courbatures dans le dos, je me sens fatigué...
— Oui, je comprends, cela m'arrive aussi d'être dans votre état. Je vais vous confier un secret... Quand je suis comme ça, je demande à ma femme de me faire une petite gâterie. Et comme par miracle, tous mes maux disparaissent !

– Ah ? Bon, je vais essayer et je vous rappelle, lui répond l'employé.

Deux heures plus tard, le gars rappelle son boss :

– Vous aviez raison, patron, ça marche ! Je n'ai plus mal nulle part, je suis au bureau dans vingt minutes. Et je voulais aussi vous dire, patron... vous avez une très belle maison !

Facteur

• **Le facteur sonne à la porte d'une maison.** Quelqu'un crie :

– C'est qui ?

– Bonjour, c'est le facteur. Vous pouvez m'ouvrir ?

– C'est pour quoi ?

– C'est pour les étrennes...

– Vous n'avez qu'à les glisser sous la porte !

Femme de ménage

• **Alors qu'il réalise un vol en deltaplane à 300 mètres d'altitude, un homme croise une femme chevauchant son balai...**

– Mais qui êtes-vous ! hurle l'homme. Vous êtes une sorcière ?

– Non ! crie la femme. Femme de ménage à Tchernobyl !!!

Fonctionnaire

• **Un ingénieur, un comptable, un informaticien et un fonctionnaire vantent les qualités de leur chien.** L'ingénieur appelle son chien et lui dit :

– Cerveau ! Fais-moi un joli rond !

Et le chien prend alors un crayon dans sa gueule et dessine un cercle parfait sur une feuille.

– Bof... Le mien est plus intelligent, fait le comptable.

Et il commande son chien :
– Passif ! Range tes biscuits !
Et le chien empile alors tous ses biscuits les uns sur les autres de manière à créer deux colonnes égales.
– Mouais… Le mien fait mieux ! dit l'informaticien. Clavier ! Va travailler ! ordonne-t-il à son chien.
Et le chien met l'ordinateur en marche, puis ouvre « Windows mail » afin de consulter la messagerie.
– Vos chiens sont des incapables ! dit le fonctionnaire. Pause-café ! Montre-leur ce que tu sais faire !
Et le chien met la feuille avec le cercle à la poubelle, mange tous les biscuits, supprime tous les mails de l'ordinateur, fait semblant de se blesser et remplit un formulaire d'accident du travail !

Hôtesse d'accueil

• **Un couple fait des courses dans un grand magasin.**
Distrait, l'homme s'égare et ne retrouve plus sa femme. Il se dirige alors vers l'accueil et demande à une hôtesse :
– Pardon madame… Je viens de perdre ma femme… Où dois-je m'adresser ?
– Cinquième étage ! Rayon croix, fleurs artificielles et plaques funéraires…

Imprésario

• **Un imprésario fait écouter une chanteuse à un producteur…**
– Alors, qu'en dites-vous ? Vous seriez prêt à la lancer ?
– Oui, par la fenêtre !

Informaticien

• **Le fils de Bill Gates est né avec six doigts à chaque main.**
Bill Gates a alors déclaré qu'il ne s'agissait pas d'un bug mais
d'une caractéristique du produit.

• **Dieu convoque Barack Obama et Bill Gates...**
– Messieurs, puisque les hommes sont devenus fous, je tenais
à vous dire que je vais détruire la Terre et tous ses habitants
dans sept jours !
Après cette très brève entrevue, Barack Obama et Bill Gates
sont renvoyés sur terre. Obama réunit tous les membres de
son gouvernement et déclare :
– J'ai une bonne et une mauvaise nouvelle à vous annoncer !
La bonne nouvelle, c'est que Dieu existe, je l'ai rencontré !
La mauvaise, c'est qu'il en a marre et qu'il va détruire la Terre
d'ici sept jours.
De son côté, Bill Gates réunit tous les membres de son conseil
d'administration et déclare :
– J'ai deux excellentes nouvelles à vous annoncer ! La
première, c'est que Dieu me compte parmi les deux personnes
les plus importantes de cette planète ! La deuxième, c'est que
nous n'aurons pas besoin de débugger la dernière version de
Windows !

Journaliste

• **Un journaliste vient interviewer une vieille actrice qui
habite au dixième étage sans ascenseur...** Sa première
question pour l'ancienne star est :
– Mais pourquoi habitez-vous si haut et sans ascenseur,
madame ?
– À mon âge, lui répond-elle, c'est la seule solution que j'ai
trouvée pour faire encore battre le cœur des hommes qui
viennent me rendre visite...

Juge

• **Un jeune avocat demande conseil auprès d'un avocat expérimenté...**
– Je suis persuadé de perdre cette affaire. Toutes les preuves accablent mon client... Comment faire ?
– Parfois, il faut savoir perdre. À l'impossible nul n'est tenu.
– Pourtant, je me demandais... Si j'envoyais au juge une boîte de cigares... pensez-vous que cela puisse influer d'une manière ou d'une autre sur l'issue de ce procès ?
– Sans aucun doute ! Vous êtes certain de perdre l'affaire, mon jeune confrère ! Qui plus est, vous risquez d'être radié du barreau !
Deux jours plus tard, le tribunal rend son verdict : l'accusé est acquitté ! Le jeune avocat invite alors à déjeuner son mentor. Ce dernier lui dit :
– J'ai appris que vous aviez gagné votre procès, je vous en félicite ! Heureusement que vous avez écouté les conseils de l'avocat expérimenté que je suis et que vous n'avez pas expédié cette boîte de cigares au juge !
– C'est pourtant ce que j'ai fait...
– Non !
– Si ! Sauf que dans la boîte... j'ai mis la carte de visite de l'avocat de l'accusation...

Magicien

• **Dans une maternité, plusieurs futurs papas attendent impatiemment que leur femme accouche.** Soudain une sage-femme pénètre dans la salle d'attente et dit :
– Lequel d'entre vous est magicien ?
– C'est moi, madame ! dit un homme en se levant. Alors, elle a accouché ?
– Oui, félicitations ! Vous êtes l'heureux papa d'un beau lapin de 4 kilos !

Marin

• **Dans un bar, des marins anglais chambrent des marins français :**
– Donnez-nous quelques tôles, et nous, on vous fabrique un cuirassé !
Les marins français leur répondent alors :
– Eh bien, dans ce cas, amenez-nous vos sœurs, et nous, on vous fabrique l'équipage !

Notaire

• **Une vieille mamie se rend chez un notaire...**
– Je voulais vous voir pour un petit renseignement. J'aimerais faire un testament. Comment doit-on faire ?
– Oh, pour ça, il faudrait que nous puissions nous voir plus longtemps ! Prenez un autre rendez-vous auprès de la secrétaire, et je vous expliquerai tout ça la prochaine fois !
– Ah, merci. Combien vous dois-je ?
– 100 euros, s'il vous plaît.
La mamie ouvre son porte-monnaie et tend un billet de 100 euros au notaire. La vieille dame partie, le notaire range le billet dans son tiroir et s'aperçoit qu'il y a un autre billet de 100 euros collé derrière. Le notaire se pose alors une question d'éthique : « Dois-je en informer mon associé ? »

• **Un notaire dicte une lettre à sa secrétaire, puis la relit...**
– Je vois que vous avez commencé le courrier par « cher ami », dit-il. Ce type est un voleur ! Changez l'en-tête, s'il vous plaît.
La secrétaire corrige le courrier et inscrit « cher confrère... ».

Pharmacien

• Dans une pharmacie, un stagiaire demande à un collègue :
– Je ne parviens pas à lire ce qu'il y a d'inscrit sur ces boîtes...
– Ne cherche pas, c'est ce que l'on donne aux malades lorsqu'on ne parvient pas à déchiffrer l'ordonnance !

Policier

• Un garçon roule en scooter. Il aperçoit une copine dans la rue, la siffle, et celle-ci monte derrière lui. Un peu plus loin, un copain les aperçoit. Il les siffle et monte sur le guidon. Encore un peu plus loin, un policier voit les trois jeunes sur le scooter et les siffle. Ils passent à côté du policier et lui disent : « C'est complet ! »

• Un policier intime l'ordre à un véhicule de s'arrêter, mais celui-ci poursuit sa route... Le motard enfourche sa moto et rattrape le contrevenant. Il s'agit d'une vieille dame...
– Alors, madame, vous avez oublié ce que cela signifie quand je lève la main ?
– Mais pas du tout ! proteste la vieille dame. J'ai été institutrice pendant quarante ans, je sais encore comment on demande pour aller faire la petite commission !

Pompiste

• Un automobiliste s'arrête faire le plein dans une station-service et le pompiste lui propose gentiment de le servir. Lorsqu'il a terminé, l'automobiliste le règle, claque sa portière et redémarre. Au bout d'une centaine de mètres, il voit dans son rétroviseur que le pompiste court derrière la voiture ! Pensant qu'il a oublié quelque chose à la station, l'homme s'arrête, mais le pompiste dépasse la voiture en courant à toute vitesse... Le conducteur se demande bien pourquoi il court comme un dératé et décide donc de redémarrer. Revenu à la hauteur du pompiste, il lui fait un petit coucou de la main, accélère à fond et le dépasse. Mais en regardant dans le rétro, il constate qu'il court toujours derrière la voiture. Il pile, et le type le dépasse encore plus vite que précédemment ! L'automobiliste appuie alors à fond sur le champignon double le pompiste et... casse son moteur ! Sa voiture s'immobilise sur le bas-côté pendant que le pompiste la dépasse encore. Puis le pompiste revient en courant dans l'autre sens... Puis repasse devant la voiture... Et de nouveau derrière... Et encore devant... Et finit par s'arrêter enfin, épuisé, au niveau de la portière de l'automobiliste. Ce dernier baisse sa vitre et lui demande :

– Ça va ? Je peux vous aider ?

– Oui... pffff... oui ! Pffff... ouvrez... ouvrez votre portière... pfff ! Y'a mes bretelles de coincées dedans !

Portier

• Le portier d'un institut de beauté reçoit toujours de très gros pourboires qui lui permettent de gagner formidablement bien sa vie. La patronne de l'institut de beauté le questionne :

– On m'a rapporté que les clientes vous faisaient de très gros pourboires. Est-ce vrai ?

– Oui, madame. Je perçois en moyenne 4 000 euros de pourboires chaque mois.

– Si j'y ajoute votre salaire, vous gagnez donc plus que moi !? J'espère que tout cela est bien légal...

– Bien entendu, madame !

– Bien... J'ai craint un moment que vous vendiez vos services et que vous fassiez quelques heures supplémentaires pour tenir compagnie à ses dames... Rassurez-moi, il n'en est rien ?

– Oh non, madame !

– Mais alors, dites-moi... quel est votre secret ?

– Eh bien, c'est tout simple, madame. Quand une cliente arrive, je lui dis : « Bonjour, madame ! » Et quand elle repart, je lui dis : « Au revoir, mademoiselle ! »

Professeur

• **Un candidat au baccalauréat sèche totalement à l'épreuve orale...** Excédée, la professeur interpelle un surveillant et lance :
– Monsieur, veuillez apportez une botte de foin pour cet âne !
Et le candidat ajoute aussitôt :
– Deux bottes, s'il vous plaît ! Madame dîne à ma table...

• **Un professeur interpelle une de ses étudiantes :**
– Mademoiselle Céline Utello-Lopez, votre jupe est si courte que l'on peut voire vos initiales !

Psychologue

• **Un homme consulte un psychologue...**
– Depuis quelque temps, je suis très inquiet. Toutes les nuits, pendant que ma femme dort, elle crie : « Non, François, non ! » Et le problème, c'est que je m'appelle Stéphane...
– Vous n'avez aucune raison de vous inquiéter ! dit le psychologue. Au contraire ! Par contre, le jour où elle criera « oui, François, oui ! »...

Responsable du personnel

• **Un homme souffrant de tics nerveux, et qui cligne en permanence de l'œil droit, passe un entretien d'embauche.** Après avoir informé le responsable du personnel de ce petit handicap, ce dernier examine son CV avec attention, puis lui dit :

– Vous avez un excellent parcours professionnel, tous les diplômes et aptitudes requis. Cependant, je crains que ce clignement de l'œil ne soit un handicap dans le poste que vous sollicitez. Vous serez toujours en rendez-vous avec la clientèle et il est fort probable que ces clins d'œil soient incompris et qu'ils déstabilisent les clients... Pire, que vous fassiez l'objet de quolibets et que l'image de notre société en pâtisse.

– Mais pas du tout ! répond le candidat. Vous n'avez pas à vous inquiéter pour cela. Il me suffit de prendre deux cachets d'aspirine et mon clignement de l'œil disparaît aussitôt !

L'homme, qui fouille alors dans ses poches pour trouver deux cachets d'aspirine, se met à en vider le contenu sur le bureau du responsable du personnel... Des préservatifs de toutes tailles, de toutes les couleurs, des préservatifs au goût framboise, chocolat et à tous les parfums possibles et imaginables... Le candidat trouve enfin ses deux cachets qu'il avale aussitôt, et effectivement... son clignement de l'œil disparaît instantanément ! Mais le responsable du personnel est gêné par l'étalage de préservatifs sur son bureau...

– Bien. Je le reconnais, votre clignement de l'œil a disparu. Par contre, vous semblez avoir une vie sexuelle intense et dissolue qui pourrait avoir des conséquences négatives sur votre concentration au travail !

– Mais pas du tout ! répond le candidat. Vous avez déjà essayé d'entrer dans une pharmacie pour demander de l'aspirine en clignant de l'œil ?

Responsable d'un service après-vente

• **Un type achète un PC.** Après deux semaines d'utilisation, l'ordinateur se met à fumer. Le type contacte le service-après vente du magasin, qui lui annonce :

– Il faut changer la carte mère, mais je vous préviens, ce n'est pas sous garantie !

– Et pourquoi ?

– Parce que vous n'avez pas payé 200 euros supplémentaires pour cette option de la garantie.
– Mais je n'ai pas besoin de changer la carte mère, un logiciel antifumée me suffirait !
– Non monsieur, un logiciel antifumée, ça n'existe pas ! Il faut changer la carte mère !
Mécontent, le type contacte alors Microsoft qui lui vend un logiciel antifumée. Dès le lendemain, le gars revient dans son magasin.
– Je voudrais acheter une carte mère.
– Ah ! Vous voyez qu'il fallait changer la carte mère ! Un logiciel antifumée, ça n'existe pas.
– Si, ça existe, Microsoft m'en a vendu un !
– Ah bon ? Et alors ?
– Ben... Il n'est pas compatible avec ma carte mère.

• **Un homme téléphone à un service après-vente.**
– Bonjour, j'ai un PC avec Windows 2000.
– Oui ? fait le technicien.
– Et il ne marche plus...
– Oui, vous me l'avez déjà dit.

Sage-femme

• **Deux homosexuels décident d'avoir un enfant grâce à une mère porteuse.** Le jour de son accouchement, le couple d'homosexuels s'empresse de se rendre à la maternité pour découvrir leur enfant. Ils sont ravis et enthousiastes :
– C'est le plus beau bébé de la maternité ! dit l'un.
– C'est vrai qu'il est très beau, répond la sage-femme.
– En plus, j'ai remarqué que c'était le seul à ne pas pleurer ! ajoute le second.
– Oui, dit la sage-femme, mais vous allez voir : dès que je vais lui retirer son thermomètre...

Secrétaire

• Un patron reproche à sa secrétaire de faire plein de fautes d'orthographe :
– Que vous arrive-t-il ? Avant, vous ne faisiez aucune faute !
– Vous n'avez qu'à remettre le chauffage ! lui répond-elle.
– Quel rapport ?
– Vous avez déjà essayé de taper sur un clavier avec des moufles ?

Serveur

• En montrant du doigt un type qui dort sur sa table, le patron d'un café demande à un serveur :
– Pourquoi tu ne le réveilles pas ?
– Je l'ai déjà fait quatre fois !
– Alors pourquoi tu ne le mets pas dehors ?
– Parce que chaque fois que je le réveille, il me demande l'addition, paye et me laisse un pourboire !

• Un Juif se rend dans un restaurant casher et commande le plat du jour : une carpe farcie. Le serveur lui porte rapidement une carpe et lui souhaite un bon appétit. Quelques minutes plus tard, le garçon revient le voir...
– Pardonnez-moi, monsieur... Est-ce que tout va bien ?
– Pourquoi cette question ?
– Eh bien... Des clients m'ont dit que vous parliez à haute voix avec votre assiette... Est-il vrai ?
– Je ne parlais pas avec mon assiette, je parlais avec ma carpe !
– Ah... Et que lui disiez-vous ?
– Je lui ai demandé d'où elle venait.
– Je suppose qu'elle vous a répondu ?
– Oui, elle m'a répondu qu'elle est originaire de Pologne, comme moi. Alors je lui ai demandé si elle avait des nouvelles fraîches du pays !

– Et qu'a-t-elle dit ?

– Elle m'a répondu qu'elle ne pouvait pas m'en donner, que ça faisait trois ans qu'elle avait été pêchée !

Syndicaliste

• **Un cégétiste se rend dans un bordel et demande à la patronne :**

– Vos filles sont-elles syndiquées ?

– Non, monsieur !

– Et quel est le pourcentage que touche une fille sur une passe ?

– C'est 10 % pour la fille et 90 % pour la maison !

– Quelle honte ! C'est inacceptable !

Et le cégétiste quitte aussitôt le bordel. Un peu plus loin, il entre dans une autre maison close et questionne la mère maquerelle :

– Bonjour, madame. Vos filles sont-elles syndiquées ?

– Ouais !

– Ah ! Je vous félicite ! Et quel est le pourcentage que touche une fille sur une passe ?

– C'est 90 % pour la fille et 10 % pour la maison.

– Bravo ! Bon. La jolie petite brune aux gros seins qui est assise au bar est-elle libre ?

– Bah non ! Faut prendre la grosse de 60 ans qui est assise dans le coin, là-bas. C'est elle qui a le plus d'ancienneté !

Taxi

• **Une jeune femme prend un taxi parisien et lui demande de la conduire gare Saint-Lazare.** Le taxi démarre, et à mi-chemin, la jeune femme dit au chauffeur qu'elle n'a pas d'argent pour payer la course. Elle a oublié son portefeuille, et s'ils font demi-tour, elle manquera son train.

– Quoi ? Vous vous foutez de ma gueule, ma petite dame ! Comment vous allez me payer alors ?
– Écoutez…. Vous n'avez qu'à vous garer dans un parking souterrain, et là, vous pourrez me faire l'amour.
Le taxi accepte et se gare dans un parking souterrain près de la gare. La jeune femme se déshabille totalement et écarte les jambes. Le chauffeur de taxi se retourne et lui dit :
– Vous n'auriez pas plus petit ?

• **Un couple d'Écossais et ses deux enfants arrivent à l'aéroport et appellent un taxi.** L'homme demande :
– Combien coûte la course pour aller jusqu'au centre de Paris ?
– C'est un forfait : 15 euros par adulte. C'est gratuit pour les enfants et il n'y a pas de supplément pour les bagages.
L'Écossais réfléchit un instant et répond :
– Prenez les bagages et les enfants, ma femme et moi nous prenons le bus !

Veilleur de nuit

• **Un homme se présente à un entretien d'embauche pour un emploi de veilleur de nuit.** Le recruteur lui expose les qualités requises pour ce poste :
– Il faut se méfier et douter de tout. Tout vérifier, tout contrôler. Il faut avoir du flair pour tout ce qui est suspect. Deviner si quelqu'un ment en partant du principe qu'il ne faut jamais croire ce que l'on peut vous raconter et qu'il ne faut jamais faire confiance à ce que vous voyez. En êtes-vous capable ?
– Ben… En fait, il faudrait peut-être que je vous envoie ma femme !

Vendeur ambulant

• **Sur le marché d'une foire-exposition, une dame s'arrête devant le stand d'un type qui vend des crèmes rajeunissantes.** La dame est perplexe et demande au vendeur :
– Vous êtes certain que ça marche, votre crème ? Il y a quoi dedans ?
Le vendeur se tourne alors vers la jeune et jolie vendeuse qui l'accompagne et lui dit :
– Maman, tu peux renseigner la dame ?

Vendeur

• **Un homme manifeste contre la réforme des retraites, car il souhaite que la pénibilité de son travail soit prise en considération.** Un journaliste lui demande :
– Vous faites un métier pénible ?
– J'ai des ampoules dans les mains toute l'année, moi, monsieur !
– Et quel métier exercez-vous ?
– Je suis vendeur au rayon électricité !

• **La patronne d'une boutique de vêtements entre dans son magasin et remarque que l'horrible costume vert pomme n'est plus en rayon...**
– Où se trouve le costume vert ? demande-t-elle à son vendeur. Vous vous êtes enfin décidé à le jeter ?
– Non... Je l'ai vendu !
– Ah ! Ah ! Ah ! Ce n'est pas possible, je ne vous crois pas. Nous l'avons en stock depuis plus de vingt ans !
– Si, si ! Et ce n'est pas tout : j'ai vendu, au même gars, la paire de chaussures jaunes et la cravate marron !
– Mais, comment avez-vous fait ?
– Eh bien, je n'ai pas cessé de lui vanter la coupe du costume, le confort des chaussures et la qualité de la cravate.

– Il y en a qui ont vraiment un drôle de goût ! Vous lui avez fait une remise ?

– Même pas ! Il a payé sans rien demander. Par contre, en partant, son chien-guide m'a mordu...

Voleur

• **Une femme en croise une autre dans la rue et l'interpelle :**

– Madame ! Je crois que nous nous sommes déjà rencontrées, l'année dernière...

– Ah bon ?

– Oui, nous avons dû nous croiser chez le coiffeur, à peu près à la même époque...

– Peut-être... Je ne me souviens pas de vous !

– Moi non plus, mais je me souviens parfaitement de votre parapluie !

– Ah ? Pourtant, je ne l'avais pas, l'année dernière...

– Je sais... Mais moi, oui !

• **Un policier interroge un voleur :**

– Pourquoi ne pas avoir rendu son portefeuille à cette dame ?

– Par instinct, monsieur l'inspecteur...

– L'instinct... Quel instinct ?

– L'instinct de conservation !

Voyante

• **Une femme va voir une voyante et lui demande :**

– Quel est votre tarif, s'il vous plaît ?

– C'est 100 euros les trois questions.

– C'est un peu cher. Vous ne trouvez pas ?

– Non. Quelle est votre troisième question ?

Groupes
Facebook

- À ton âge, je travaillais ! – Oui, Mamie… Et moi, à ton âge, je travaillerai encore.

- À quoi ça sert de tuer des baleines si c'est pour maquiller des thons…

- C'est qui qu'avait raison ? – C'est toi… – Redis-le encore…

- Quand on voit les dégâts que font les pigeons, on remercie Dieu de ne pas avoir donné d'ailes aux vaches.

- Quand y'en a marre, y'a le Ricard. Quand y'en a plus, y'a le Super U !

- Nouvelle figure de style : « faire une Domenech », art du contre-pied, faire le contraire de tout.

- Chérie, je veux un bisou – Et moi une Audi R8. On peut pas tout avoir dans la vie !

- Une Renault ne perd pas d'huile… Elle marque son territoire !

- Si toi aussi le Jack Daniel's se distille dans tes veines.

- Pourquoi mets-tu des soutifs ? T'as rien ! – Bah… Tu mets bien des caleçons, non ?

- Si la vengeance est un plat qui se mange froid, j'en connais qui vont bouffer surgelé !

- Ta mère est tellement poilue que quand je couche avec elle, j'ai pas besoin de couverture !

- Salut, tu danses ? – Oh, oui ! – Ben… Laisse-moi ton tabouret alors !

• On ne va pas casser trois pattes à mamie dans les orties !

• T'as une clope, s'il te plaît ? Et du feu aussi ? – Tu veux pas un de mes poumons pendant qu'on y est !

• Il y a que chez le coiffeur que les Bleus peuvent espérer une coupe !

• T'as été chez le coiffeur ? – Non, ils sont tombés tout seuls, connard !

• Certains hommes aiment tellement leur femme que pour ne pas l'user, ils utilisent celle des autres !

• Tu dors ? – Si je te réponds oui, tu me crois ?

• Je te mets un, deux, trois doigts, pour préparer le terrain pour l'anaconda !

• Tu me facilites le transit intestinal. – Quoi ? – Tu me fais chier, quoi !

• Tu rentres comment ce soir ? – Bourré !

• Les gens qui n'aiment pas la sodomie, c'est que généralement ils ne sont pas du bon côté de la bite.

• Pour que Dora se démerde enfin toute seule, trouve son HLM, fasse des gosses avec Diego et affronte la vie avec son sac à dos !

• Tu suces ? – Quoi !!! – Ma bite, conasse !

• Un Coca, s'il vous plaît. – Un Pepsi, ça ira ? – Les billets de Monopoly, ça ira ?

• Vous faites quoi tout nus sous la couette ? – On joue au Monopoly, pourquoi ?

• But pour l'équipe de France ! Non... J'déconne...

• L'amour part d'une étincelle dans le cœur... et finit par le feu au cul !

• Ceux qui mettent une jambe dessus-dessous la couette pour avoir mi-chaud, mi-froid...

• Chez moi, y'a pas de Danette. Alors, on se lève tous pour l'apéro !

• Dieu, si tu nous rends Michael Jackson, on te file Justin Bieber.

• Femme au volant... quand t'as trop bu, t'es bien content !

• Il ne faut pas boire au volant, il faut boire à la bouteille.

• J'arrivais, mais j'ai croisé un canard, alors je l'ai suivi...

• Je dis « ta gueule » à ma télé avant de changer de chaîne.

• Je prends ma douche tout nu et j'assume.

• La dernière fois que j'ai dit : « Qui m'aime me suive », on a dû louer douze cars !

• Quitte à être au fond du trou, autant qu'il y ait des poils autour.

• Lancer des pièces sur une femme fontaine et faire un vœu !

• Lancer son ex du haut de la tour Eiffel en chantant : « *It's raining men, alléluia !* »

• L'année est passée trop vite, j'ai pas eu le temps de travailler…

• On n'est pas alcooliques, on a juste plein de choses à fêter !

• On peut baiser en toute amitié ?

• On va pas se mentir, le statut relation libre ça veut dire plan cul.

• Quand on veut, on peut. Je te veux, je peux ?

• Quand y en a marre, va dans un bar !

• Rien à foutre de ton iPhone, j'ai mon Pokedex !

• Si j'ai des petits seins, c'est parce que je dors sur le ventre.

• Si toi aussi t'as déjà essayé de remplir un gant de toilette avec de l'eau.

• Si toi aussi tu aimes prendre des risques en ne mangeant que quatre fruits et légumes par jour au lieu de cinq.

• Si toi aussi tu appelles le produit à vitres « le pshit-pshit » !

• Si toi aussi tu penses qu'Ingrid Betancourt peut gagner le prochain Koh Lanta…

• Si toi aussi tu t'es déjà niqué les dents en jouant avec ton Bic quatre couleurs…

• Si un soir, l'envie te prend de travailler, allonge-toi, ça va passer.

• Si vous ne me voyez pas connecté sur Facebook pendant 48 heures, appelez la police !

- Taper un moche en disant : « Bang ! Dites adieu à la saleté. »

- T'as pas des écureuils qui te suivent partout avec ta tête de gland ?

- Tiens, à propos de trottoir, comment elle va ta copine ?

- Tu me reproches d'avoir fait des erreurs ; c'est vrai, je t'inclus dedans.

- Tuer un végétarien, c'est sauver une salade !

- Un coup de boule pour Zizou, un coup de main pour Henry et un coup de queue pour Ribéry. Ça descend, ils vont bientôt jouer avec leurs pieds !

- Un jour j'irai vivre en Théorie, car en Théorie tout se passe bien.

- Un jour les Bleus gagneront la Coupe du monde, mais pas demain, demain y vont aux putes.

- Un jour, j'ai lu que boire était mauvais pour la santé. Depuis ce jour j'ai arrêté de lire.

Les militaires

• **La France vient de mettre au point un superordinateur pour son armée.** Cet ordinateur a la plus grande capacité de calcul au monde ! Il a en mémoire toutes les tactiques militaires, tous les faits de guerre, et il est capable, mieux qu'un cerveau humain, de prendre la meilleure décision possible face à un problème donné. L'État-Major des forces armées françaises s'est réuni autour de lui. Un général pose la question suivante à l'ordinateur :
– Faut-il entreprendre une action militaire en Afghanistan afin de libérer les otages français ?
La réponse de l'ordinateur ne se fait pas attendre :
– Oui.
Tous les membres de l'État-Major se regardent, ils sont perplexes… Le général se penche de nouveau sur l'ordinateur et demande :
– Oui, quoi ?
Et l'ordinateur lui répond :
– Oui, mon général !

• **Un colonel convoque un adjudant dans son bureau et lui annonce :**
– La femme du soldat Duchemin est décédée cette nuit dans un accident de voiture. Tâchez de lui annoncer la nouvelle avec tact, je crois savoir que c'est un garçon sensible. De plus, il a perdu ses parents dans les mêmes conditions il y a tout juste un an.
L'adjudant sort du bureau du colonel et fait sonner le rassemblement.
– Soldats… Garde à vous ! Que ceux dont la femme est morte dans un accident de voiture fassent un pas en avant !
Personne ne bouge…
– Soldat Duchemin !!! hurle l'adjudant. Vous me ferez quinze jours de trou pour avoir désobéi aux ordres ! Et ne vous plaignez pas, votre femme va y rester beaucoup plus longtemps que vous !

• **L'armée recrute...** Un jeune homme se présente face au colonel, qui lui fait passer un test.
– Qu'est-ce que ceci ?
– C'est une mitraillette, mon colonel !
– À quoi cela sert-il ?
– À mitrailler, mon colonel !
– Et ça, qu'est-ce que c'est ?
– C'est un tank, mon colonel.
– Et à quoi cela sert-il ?
– À tankuler, mon colonel !

• **Deux cacas durs hommes, Rambo et Rambo II, partent à la guerre.** En chemin, ils croisent deux cacas mous femelles : Diarrhée et Colite. Ces dernières demandent à ces messieurs :
– Hé ! On peut venir avec vous faire la guerre ?
– Non les filles, la guerre, c'est que pour les durs !

• **Un militaire retourne à la vie civile et est engagé dans une entreprise.** Le matin de son premier jour de travail, il arrive à 10 h 30 et repart après avoir mangé, à 14 heures. Le lendemain, il se pointe à 11 heures et repart de nouveau à 14 heures. Le troisième jour, idem. Le quatrième jour, le patron l'attend de pied ferme...
– Dites-moi ! Quand vous étiez dans l'armée et que vous arriviez à cette heure-là, on vous disait quoi ?
– On me disait : « Bonjour, mon commandant ! »

• **Dans un centre d'essais aéronautiques, un avion de chasse s'apprête à faire son premier vol.** Malheureusement, à peine l'avion commence-t-il à s'élever que ses ailes se cassent en deux ! Les techniciens sont contraints de reprendre tous leurs travaux et, six mois plus tard, l'avion est prêt pour une nouvelle tentative. L'avion de chasse prend son élan, et cette fois-ci, il n'a même pas le temps d'amorcer le décollage que ses ailes se brisent de nouveau en deux. Les techniciens sont désemparés, ils ne savent plus quoi faire. Un

gars employé au nettoyage des locaux et qui a assisté aux deux échecs s'approche d'eux et leur dit :
– Si je peux me permettre, il faudrait faire des trous dans les ailes !
– Que dites-vous ? demande un ingénieur.
– Faudrait faire une ligne de petits trous à l'endroit où les ailes se cassent en deux !
– Mais qui êtes-vous ?
– Ben... Je suis du service de nettoyage !
– Alors cessez de vous foutre de notre gueule et retournez nettoyer les chiottes !
Les jours passent, et ne trouvant pas de solution, techniciens et ingénieurs s'avouent vaincus...
– Nous n'y arriverons jamais ! dit l'un.
– Alors dans ce cas, pourquoi ne pas écouter l'employé du ménage et faire une ligne de petits trous à l'endroit où les ailes se cassent ? dit un autre.
Finalement, tout le monde opte pour cette solution de la dernière chance et l'on perce donc des petits trous là où les ailes ont des faiblesses. Vient enfin le jour de l'essai en vol...
L'avion s'engage sur la piste, prend son élan... et décolle ! Le pilote fait un vol d'une dizaine de minutes pendant lesquelles il s'offre même le luxe de faire quelques loopings avec le futur fleuron de l'armée de l'air française. L'ingénieur qui avait envoyé balader l'employé du nettoyage se tourne vers lui et lui dit :
– Avouez que vous avez été ingénieur... Et expliquez-nous pourquoi ces petits trous empêchent les ailes de se casser !
– Bah... J'sais pas trop mais... depuis vingt ans que je nettoie les chiottes, j'ai jamais vu du PQ se détacher selon les pointillés !

• **Un adjudant explique à un soldat :**
– Si vous lancez quelque chose en l'air, ça retombe par terre. Cela s'appelle la gravitation !
– Bien, mon adjudant ! Et si ça tombe dans l'eau ?
– Bah... J'sais pas, faut voir ça avec la marine...

• Un général passe devant un café où un militaire en permission boit une bière en terrasse. Le militaire ne se lève pas pour saluer le général et ce dernier s'énerve...
– Soldat ! Reconnaissez-vous mon grade ?
– Heu... Oui, vous êtes général !
– Bien. Et qu'est-ce que je commande ?
– Bah... Ce que vous voulez, moi je vais prendre une autre bière !

• Un officier interroge des nouvelles recrues...
– Pourquoi vous êtes-vous engagé dans l'armée ?
– Parce que j'étais célibataire et que j'aime la guerre !
– Et vous ? demande-t-il à un autre. Pourquoi vous êtes-vous engagé dans l'armée ?
– Parce que je suis marié et que j'aime la paix...

• Un adjudant-chef questionne trois nouvelles recrues :
– Qu'est-ce que vous faisiez dans la vie, vous, avant de vous engager dans l'armée ?
– J'étais pompeur.
– Pompiste ! Idiot ! On dit pompiste ! Pour la peine, vous me ferez trente pompes ! Et vous ? demande-t-il au deuxième.
– Eh bien... J'étais... heu... ébouiste ?
– Éboueur ! Mais quelle bande de cons ils m'ont donnée !
On dit éboueur ! Vous me ferez cinquante pompes ! Et vous ? demande-t-il au troisième.
– Alors moi, dit le troisième, je ne me souviens plus très bien. Je ne sais plus si j'étais mineur ou ministre...

Qu'est-ce qui ?
Pourquoi ?
Comment ?

• Quelle différence y a-t-il entre le 11 Novembre en France et le 11 Septembre aux États-Unis ?
En France c'est pour les poilus, et aux États-Unis pour les barbus...

• Pourquoi maintenant les pare-brises sont-ils sales à Paris ?
Parce qu'il n'y a plus de Roumains...

• Quel point commun y a-t-il entre un gynécologue myope et un chien ?
Ils ont tous les deux le nez humide !

• Quelle différence y a-t-il entre faire un 69 et conduire par temps de brouillard ?
Quand on fait un 69, on voit très bien le con que l'on a devant soi.

• Comment Dorothée s'est-elle brûlé le visage au 3ᵉ degré ?
En faisant une pipe au capitaine Flam !

• Quelle différence y a-t-il entre un caleçon et un car de police ?
Dans le caleçon, il n'y a qu'un trou du cul !

• Quelle différence y a-t-il entre le chauffeur de Lady Di et Claude François ?
Il y en a un qui conduit mieux que l'autre...

• Quelle différence y a-t-il entre Paris Hilton et un gant de boxe ?
On ne met qu'une main dans un gant de boxe.

• Quelle différence y a-t-il entre la sodomie et le four à micro-ondes ?
Avec le four à micro-ondes, la viande ne ressort pas marron.

• **Pourquoi les filles aiment-elles tant les gays ?**
Parce que les tapettes attirent les souris !

• **Qu'est-ce qu'une lesbienne avec de longs doigts ?**
Une fille bien montée !

• **Quelle différence y a-t-il entre les Spice Girls et un film de cul ?**
La musique est mieux dans le film !

• **Quelle différence y a-t-il entre Secret Story et la méningite ?**
Aucune, les deux s'attaquent au cerveau des enfants !

• **Quelle différence y a-t-il entre payer ses impôts et se faire sodomiser ?**
Quand on paye ses impôts, c'est surtout le troisième tiers qui est le plus dur...

• **Pourquoi vaut-il mieux être noir qu'homosexuel ?**
Parce qu'on n'a pas besoin de l'annoncer un jour à sa mère !

• **Qu'y a-t-il de plus dangereux qu'un pitbull atteint du sida ?**
Le skinhead qui le lui a refilé !

• **Quelle différence y a-t-il entre une merde et un caniche ?**
La merde, on ne fait pas exprès de marcher dessus !

• **Quel point commun y a-t-il entre une mouche et un homo ?**
Ils risquent de se prendre un coup de tapette !

• **Quelle différence y a-t-il entre un intellectuel et un gay ?**
L'intellectuel a le Petit Robert dans la tête et le gay a le gros Robert dans le cul.

• Quelle différence y a-t-il entre un Maghrébin et un Alsacien ?
Le Maghrébin parle français !

• Quel point commun y a-t-il entre un moustique et Lady Di ?
Ils sont morts écrasés sur un pare-brise.

• Aux États-Unis, quelle différence y a-t-il entre un moustique et un automobiliste assassin ?
Quand le moustique pique, on l'écrase. Et quand l'automobiliste écrase, on le pique !

• Comment gagner de l'argent avec les Français ?
On les achète pour ce qu'ils valent et on les revend pour ce qu'ils s'estiment.

• Pourquoi les jeunes délinquants ont les yeux rouges après l'amour ?
À cause du gaz lacrymogène.

• Que donne le croisement entre un lapin et un éléphant ?
Un lapin mort avec un trou du cul de 20 centimètres de diamètre !

• Quelle différence y a-t-il entre un petit chaton et un gros matou ?
Le temps de cuisson !

• Pourquoi n'enterre-t-on jamais un syndicaliste sur le dos ?
Parce qu'il n'y a pas assez de terre pour remplir sa grande gueule.

• Pouvez-vous donner un exemple de solide pouvant passer à l'état gazeux sans passer par l'état liquide ?
Les haricots blancs...

• **Quelle différence y a-t-il entre un ferrailleur et un curé ?**
Le ferrailleur a du fer à ne savoir qu'en foutre et le curé du foutre à ne savoir qu'en faire !

• **Quelle différence y a-t-il entre une Lada et les témoins de Jéhovah ?**
Avec les témoins de Jéhovah, vous pouvez fermer la porte.

• **Comment une Portugaise fait-elle pour regarder l'heure ?**
Elle se peigne le dessous de bras pour écarter les poils et voir sa montre !

• **Pourquoi Alexandre Dumas a-t-il appelé son roman *Les Trois Mousquetaires* et non pas « Les Quatre Mousquetaires » ?**
Parce que Portos n'a pas eu le renouvellement de sa carte de séjour !

• **Comment les Portugaises passent-elles le balai ?**
Elles lèvent les bras et elles marchent !

• **Que faire lorsqu'un chat fait caca et qu'il n'a pas de papier pour s'essuyer ?**
Vous ne savez pas ? Eh bien, donnez votre langue au chat !

• **Qu'est-ce qui est tout bleu et qui fait bye-bye ?**
Une main coincée dans une porte.

• **Comment reconnaît-on un Portugais riche ?**
Il a une poignée dorée sur son marteau-piqueur !

• **Comment s'appelait Barbe-Bleue lorsqu'il était petit ?**
Bébé Schtroumpf.

• **Qu'est-ce qu'un Landais pyromane ?**
Un grille-pins !

• Quel point commun y a-t-il entre Verdi et Johnny Hallyday ?
L'un a verdi, l'autre jauni…

• Quel est le jeu préféré des dentistes ?
Le bridge.

• Quel point commun y a-t-il entre le Viagra et les marrons ?
Ça sert à fourrer les vieilles dindes !

• Pourquoi James Bond ?
Parce que Jeanne Mas et Bob l'Éponge…

• Quel point commun y a-t-il entre une paire de couilles et des témoins de Jéhovah ?
Les deux cognent à la porte, mais on ne les laisse pas entrer.

• Quelles sont les trois principales caractéristiques d'un vagin ?
Ça saigne sans se couper, ça se mange sans s'avaler et ça sent le port de Saint-Jean-de-Luz sans y aller !

• Pourquoi les sorcières se mettent-elles à cheval sur le balai pour voler ?
Pour pouvoir tenir le balai sans les mains !

• Pourquoi on ne fait pas des chewing-gums au goût chatte ?
À cause des poils.

• À quoi reconnaît-on le marié dans un mariage de beaufs ?
C'est le seul qui porte des baskets neuves !

• Quelle différence y a-t-il entre une voiture de flics et un slip ?
Dans la voiture de flics il y a deux trous du cul !

• **Quel point commun y a-t-il entre les mouches et les Allemands ?**
Les deux nous font chier l'été sur les plages.

• **Quel point commun y a-t-il entre les Roumains et les spermatozoïdes ?**
Ils arrivent par milliers et y en a qu'un qui bosse...

• **Comment les Américains font-ils pour empêcher cinq Afro-Américains de violer une femme ?**
Ils leur lancent un ballon de basket.

• **Quelle différence y a-t-il entre la France et l'Algérie ?**
En Algérie il y a le FIS, et en France le reste de la famille.

• **Qu'est-ce qu'un petit Nigérian avec une crêpe sur la tête ?**
Un idiot qui ferait mieux de la manger !

• **Comment un macho sait-il que sa femme a joui ?**
Il ne s'en aperçoit pas, il s'en fout...

• **Que dit un macho à sa femme quand il n'arrive pas à bander ?**
Ça t'arrive souvent ?

• **Quelle différence y a-t-il entre un homosexuel et un chercheur d'or ?**
Le chercheur d'or secoue son petit tamis de gauche à droite alors que le pédé secoue son petit ami d'avant en arrière.

• **Quel point commun y a-t-il entre un cunnilingus et un lapsus ?**
Si tu dérapes... t'es dans la merde !

• **Que dit un homosexuel à son partenaire quand il veut arrêter de faire l'amour ?**
Arrête de faire le con, je m'emmerde !

• **Quelle différence y a-t-il entre un « B » et une bite ?**
Un « B » est une consonne, alors qu'une bite est une qu'on suce...

• **Quel est le légume le plus masochiste ?**
L'artichaut. On lui coupe la queue, on lui arrache les poils et on lui mange le cul !

• **Quel félin a vécu le plus longtemps sur la planète ?**
La chatte de Jeanne Calment.

• **Comment Cendrillon est-elle morte ?**
À minuit, son Tampax s'est transformé en citrouille...

• **Quelle différence y a-t-il entre une facture EDF et Guy Béart ?**
On peut avoir un rappel pour la facture, quant à Guy Béart...

• **Comment les parents de Gilbert Montagné le punissaient-ils ?**
Ils le mettaient dans une pièce ronde et lui demandaient d'aller au coin !

• **Qu'a dit le prince Charles à Lady Di au moment de leur divorce ?**
Tu finiras sous les ponts et tu ne verras jamais le bout du tunnel !

• **Quel avantage y a-t-il à tomber en panne lorsqu'il s'agit d'une panne d'essence ?**
C'est que la voiture est moins lourde à pousser que si le réservoir était plein !

• **Comment appelle-t-on un homme sans bras ?**
Un manchot.
Comment appelle-t-on une femme sans jambe ?
Une cul-de-jatte.
Ces deux personnes se marient et ont un enfant sans couille.
Comment l'appelle-t-on ?
Une fille !

• **Que faut-il faire pour avoir de l'argent devant soi ?**
En mettre de côté...

• **Que chante un bébé éponge ?**
C'est dur, dur d'être imbibé !

• **Quelle différence y a-t-il entre un taxidermiste et un percepteur ?**
Le taxidermiste ne prend que la peau.

• **Un homme se jette du vingtième étage d'un immeuble. Ses cheveux arrivent en bas vingt minutes après lui. Pourquoi ?**
Parce qu'il utilisait Pétrole Hahn et que Pétrole Hahn ralentit la chute des cheveux !

• **Pourquoi les préservatifs de couleur noire se vendent-ils très mal ?**
Parce que le noir amincit...

• **Comment appelle-t-on des chaussures d'enterrement ?**
Des pompes funèbres !

• **Pourquoi, au supermarché, les Écossais choisissent-ils toujours les files d'attente les plus longues ?**
Pour garder leur argent en poche plus longtemps !

• **Pourquoi les Écossais se font-ils des tartines de pain avec du beurre et de la confiture ?**
Parce que c'est plus économique que de faire une tartine de confiture et une tartine de beurre...

• **Que dit le spermatozoïde d'un homosexuel à un autre spermatozoïde ?**
Comment veux-tu qu'on trouve l'ovule au milieu de toute cette merde !

• **Quel point commun y a-t-il entre un bébé et un voleur ?**
Ils ont tous les deux la police (peau lisse) aux fesses.

• **Que dit un aveugle quand il se sert d'un papier de verre ?**
Putain, c'est écrit tout petit !

Plan drague

• **Deux types discutent au bar d'un grand hôtel.**
– Je ne comprends pas. Tu as un corps d'athlète, une gueule
de mannequin et tu es toujours seul...
– Je sais... Les filles ne veulent pas de moi.
– Tu plaisantes, ou quoi ? Regarde discrètement derrière toi.
Le type se retourne et voit Carla Bruni en train de le regarder
fixement.
– Alors, t'as vu ? C'est Carla Bruni ! Ça fait une demi-heure
qu'elle te mate, tente ta chance !
– Tu crois ?
Carla Bruni s'absente un instant pour se rendre aux toilettes,
puis revient s'asseoir à sa table. Le type se décide alors
à l'aborder. Il s'approche de sa table et, pour engager la
conversation, lui demande :
– Alors Carla, on a fait caca ?

• **Un Belge explique à un copain :**
– Pour draguer les filles, j'ai un truc infaillible : je rentre dans
une boîte de nuit et j'agite mon trousseau de clefs avec le logo
Porsche dessus ! Les nanas tombent comme des mouches !
– Ah bon ? Il faudra que j'essaye.
Quelques jours plus tard, le copain s'achète un porte-clefs
Porsche et se rend en boîte de nuit. Il agite son porte-clefs,
mais toutes les filles se foutent de sa gueule. Déprimé et
honteux, il ressort de la boîte. Devant le night-club, il croise
son copain qui s'apprête à y entrer.
– Je viens d'essayer ton truc du porte-clefs avec le logo
Porsche, je me suis tapé la honte de ma vie : toutes les filles
se sont moquées de moi !
– Ah ? Et tu avais pensé à enlever ton casque de vélo ?

• **Un jeune homme invite au restaurant une jeune fille
qu'il souhaite séduire.** Une fois assise, la jeune fille consulte
la carte et demande au garçon :
– Tu aimes manger épicé ?
– Oui, mais pas les deux en même temps.

• **Un gars accoste une fille dans la rue et lui demande :**
– Salut ma poule ! Est-ce que tu baises ?
La fille se retourne, lui flanque son poing dans la figure, lui attrape la tête et lui met un coup de boule qui lui éclate le nez. Le gars tombe au sol le visage en sang. La fille lui donne alors un grand coup de pied dans les testicules et un autre qui lui casse toutes les dents. Le gars est sonné et peine à se relever. Une fois debout, il demande à la fille :
– Ve fuppove que tu veux pas me fufer non plus ?

• **Un Belge accoste une Anglaise dans la rue :**
– Pardonnez-moi, une fois, je vous trouve très à mon goût. M'accorderiez-vous un rendez-vous, ce soir ?
L'Anglaise lui répond :
– Oh ! Never !
Et le Belge :
– Never et demie ?

• **Dans un hôtel, la jolie hôtesse d'accueil demande à un client :**
– Faut-il vous réveiller le matin ?
– Oui, mademoiselle… À 8 heures, et avec un baiser !
– Entendu, monsieur. Je ferai la commission à l'employé d'étage.

• **Un camionneur prend une jeune femme en stop.**
– Je vais jusqu'à Lyon…
– C'est bon, monte !
Le camion démarre et le routier engage la conversation :
– C'est la première fois que j'emmène une femme enceinte jusqu'à Lyon…
– Mais je ne suis pas enceinte ?
– On n'est pas encore arrivés à Lyon…

B'JOUR, MADAME !

BONJOUR PETIT ! ILS SONT BEAUX, N'EST-CE PAS ?

OH OUI ! JE PEUX ?

TU AS ENVIE DE CARESSER MES GROS SAINT-BERNARD ?

OH OUI MADAME ! MAIS MOI C'EST PAS BERNARD, C'EST KÉVIN !

D.Truchi

• **Devant la machine à café, deux collègues parlent d'une nouvelle assistante :**
– Je te parie que je couche avec elle dès ce soir !
– Pari tenu !
Le type drague l'assistante et gagne son pari. Le lendemain les deux collègues se retrouvent devant la machine à café.
– Alors ?
– Alors, j'ai gagné mon pari ! Mais c'était pas terrible, ma femme baise mieux qu'elle...
– Ah bon ? Je couche avec l'assistante dès ce soir et je te dis ce que j'en pense...
Le lendemain les deux collègues se retrouvent de nouveau à la pause-café :
– Alors ? Tu as couché avec elle ?
– Oui ! Et t'avais raison, ta femme baise mieux qu'elle !

• **Dans un train, une femme s'assoit malencontreusement sur une paire de lunettes.**
– Pardonnez-moi, monsieur, dit-elle à son voisin, je crois que je me suis assise sur vos lunettes !
– Ce n'est pas grave, lui répond-il, elles en ont vu d'autres !

• **Il fait froid, la neige tombe et un couple en voiture crève un pneu.** L'homme descend du véhicule pour changer la roue, mais ses mains se gèlent très rapidement et il ne peut plus rien faire. Il rentre alors dans la voiture et sa femme lui propose de mettre ses mains entre ses cuisses afin de les réchauffer. Une fois ses mains réchauffées, l'homme ressort de la voiture et reprend le remplacement de la roue. Mais l'air est glacial et, deux minutes plus tard, ses mains sont encore gelées. Il revient alors dans la voiture et glisse de nouveau ses doigts frigorifiés entre les cuisses de sa femme. Lorsqu'ils sont réchauffés, l'homme ressort reprendre le travail là où il avait dû l'interrompre. Plusieurs fois, il est obligé de revenir dans l'habitacle de la voiture afin de réchauffer ses mains entre les cuisses de sa femme. Lorsqu'il est enfin parvenu à changer

la roue, il remonte dans la voiture et, alors qu'il s'apprête à redémarrer, sa femme lui demande :
– Tu n'as pas froid aux oreilles ?

• **Une fille arrive à la caisse d'un supermarché et dépose les produits suivants sur le tapi roulant :**
– 1 pack de yaourt nature
– 1 tube de dentifrice
– 1 plaque de chocolat
– 1 pack de lait écrémé
– 1 pack d'eau minérale
– 1 kilo de pommes de terre
– 1 salade
– 1 pizza
– 1 baguette
– 1 stick de déodorant
– 1 courgette
– 1 banane
– 1 concombre
– 1 carotte
Le caissier passe tous les articles, puis dit à la fille :
– Vous vivez seule, non ?
La fille rougit et répond :
– Heu… oui. Comment avez-vous deviné ?
– Parce que vous êtes moche !

• **Deux molaires discutent :**
– Voulez-vous que l'on sorte ensemble, ce soir ?
– Impossible, j'ai un bridge !

Questions connes

- À partir de quel étage n'y a-t-il plus de moustiques ?

- À quoi servent les tétons des hommes ?

- À vue de nez... combien de personnes sont-elles capables de voir avec leur appendice nasal ?

- Avez-vous déjà vu quelqu'un tomber dans une spirale infernale ?

- Avoir un compas dans l'œil aide-t-il réellement à voir ?

- Bob l'Éponge peut-il passer l'éponge ?

- Celui qui a inventé l'expression « cucu la praline » a-t-il goûté ?

- Celui qui est pété de rire sent-il mauvais ?

- Celui qui pose le panneau « Ne pas toucher : danger de mort ! » est-il mort ?

- Celui qui s'est fait des couilles en or a-t-il plus de chance de se faire sucer ?

- Celui qui se tape Cerise, la fille de la pub pour le Groupama, recrache-t-il le noyau ?

- Certaines girafes n'ont-elles pas le vertige ?

- Certains sont-ils assez cons pour signer leur arrêt de mort ?

- Ceux qui ne parlent qu'en verlan boivent-ils du Schweppes ?

- Chier sur un pigeon peut-il être considéré comme de la légitime défense ?

- Comment annoncer à son chien qu'il a été adopté ?

- Comment certains font-ils pour chier une pendule ?

- Comment le premier inscrit sur Facebook faisait-il pour avoir des amis ?

- Comment les hommes préhistoriques faisaient-ils pour se couper les ongles des pieds ?

- Comment peut-on être certain que la lumière du frigo est bien éteinte lorsque la porte est fermée ?

- Comment peut-on rêver ressembler à Barbie alors qu'elle n'a ni sexe ni anus ?

- Comment un incinéré peut-il se retourner dans sa tombe ?

- Dans un ascenseur, qui n'a jamais estimé le poids des autres pour savoir si l'ascenseur pouvait tomber ou pas ?

- Deux sourds peuvent-ils bien s'entendre ?

- Doit-on faire un garrot au cou d'une personne qui saigne de la tête ?

- En Chine, les Chinois chinent-ils ?

- Est-ce qu'il vaut mieux dépenser son argent pour se faire des implants mammaires ou acheter du Viagra que de le donner pour la recherche contre la maladie d'Alzheimer ? À quoi cela sert-il d'avoir de gros seins ou une superbe érection si on ne peut plus se rappeler à quoi ça sert ?

- Est-ce que seuls ceux qui sont le plus gonflés peuvent éclater de rire ?

- Est-il préférable de régner en enfer ou de servir au paradis ?

- Faut-il se demander s'il est plus difficile de poser des questions faciles ou plus facile de poser des questions difficiles ? Ou : s'il est plus facile de poser des questions faciles ou plus difficile de poser des questions difficiles ?

- Faut-il un permis et quelles sont les dates d'ouverture de la chasse pour la saison des touristes ?

- Fumer un joint de canalisation est-il légal ?

- Il faut garder la tête sur les épaules. Franchement... qui s'est déjà amusé à l'enlever ?

- Il y a des coups de pied au cul qui se perdent ! Mais où ?

- Jackouzzi... Qui choisir ?

- John Baez... Et pourquoi pas les autres ?

- Jusqu'où les chauves se lavent-ils le visage ?

- L'affaire Zahia et l'échec de la Coupe du monde vont-ils laisser des cicatrices à Ribéry ?

- La chatte de la mère Michelle est-elle rasée ?

- La loi de la gravité peut-elle être abolie ?

- La nuit, peut-on avoir une lueur d'espoir ?

- Le jour où je me sens mal, les autres peuvent-ils me sentir ?

- Le singe descend de l'arbre, ça se comprend. Mais si l'homme descend du singe, que faisait-il donc dessus ?

• Les employés de chez Lipton font-ils une pause-café ?

• Les poissons boivent-ils ?

• Les poux font-ils caca sur nos têtes ?

• Lors d'un tremblement de terre, ceux qui souffrent de Parkinson pensent-ils être guéris ?

• Lorsque je me gaufre, est-ce que je risque d'être recouvert de sucre glace ou de Nutella ?

• Mais combien mesurent ceux qui ont la tête dans la lune ?

• Mais pourquoi, malgré la crise, les minijupes ne sont-elles pas plus courtes ?

• Michel Ange… Oui, lequel ?

• N'aurait-il pas été plus rapide pour Noé d'utiliser des Pokéballs afin de capturer tous les animaux de son arche ?

• N'y a-t-il que dans les supermarchés français que les Caddie roulent de travers, ou bien est-ce un phénomène mondial ?

• Ne faudrait-il pas que les histoires que l'on raconte aux enfants le soir soient à dormir debout ?

• Ne pas pouvoir rouler une pelle, c'est se prendre un râteau ?

• Ne pourrait-on pas sauver la mémoire d'une personne atteinte d'Alzheimer sur un disque dur externe ?

• Noé n'aurait-il pas oublié d'emmener une femme sur son arche ?

• Nos bébés mangent avec des petites cuillères... Les bébés chinois mangent-ils avec des cure-dents ?

• Où est Charlie ?

• Où le poids que l'on a perdu se cache-t-il ?

• Pendant un tremblement de terre, l'ouvrier qui fait du marteau-piqueur doit-il se désynchroniser pour ne pas travailler pour rien ?

• Peut-on avoir le moral dans les chaussettes lorsqu'on se promène pieds nus ?

• Peut-on être chanter « à dada ! à dada ! » sur un chameau ?

• Peut-on mourir d'un coma hydraulique après avoir bu trop d'eau ?

• Peut-on se dire les choses entre quatre yeux avec un borgne ?

• Philippe Seguin est mort... Le loup avait-il enfin digéré la chèvre ?

• Plus je roule vite, moins je passe de temps sur la route, donc moins j'ai de risque d'avoir un accident ?

• Pour acheter un boomerang neuf... comment se débarrasser de l'ancien ?

• Pour avoir l'égalité des sexes, faut-il amputer tous ceux dont le sexe est trop grand ou greffer tous ceux dont le sexe est trop petit ?

• Pourquoi à peu près la moitié des hommes sont-ils des femmes ?

• Pourquoi celui qui écrit comme un pied s'obstine-t-il à écrire avec les mains ?

• Pourquoi choisir dix cartes postales différentes alors qu'elles ne sont pas adressées à la même personne ?

• Pourquoi construire des murs de prison autour des cimetières alors que personne ne risque de s'échapper ?

• Pourquoi dit-on « sans doute » pour exprimer le doute ?

• Pourquoi est-il moins dangereux de changer son fusil d'épaule que de passer l'arme à gauche ?

• Pourquoi faut-il casser sa tirelire ? Ne pouvait-elle pas resservir ? Faut-il acheter une autre tirelire avec l'argent de la tirelire ?

• Pourquoi faut-il saler les poissons de mer ?

• Pourquoi seul Michael Jackson a le droit de se toucher les couilles sans que cela choque personne ?

• Pourquoi la lune n'a-t-elle pas de raie ?

• Pourquoi le café au lait est-il marron alors que le lait est blanc et le café noir ?

• Pourquoi le livre de poche ne tient-il pas dans la poche ?

• Pourquoi les BN sourient-ils alors qu'ils vont se faire croquer ?

• Pourquoi les dentistes nous posent-ils des questions quand ils ont leurs doigts dans notre bouche ?

• Pourquoi les nouveau-nés peuvent-ils voir le jour la nuit ?

• Pourquoi lorsqu'il y a un « mouvement » social à la SNCF, les trains ne bougent-ils pas ?

• Pourquoi mettre des panneaux « Entrée interdite » sur une porte ? N'était-il pas moins compliqué de ne pas faire de porte ?

• Pourquoi n'a-t-on pas le droit d'apporter ses boules de pétanque quand on va voir un concert ?

• Pourquoi n'y a-t-il qu'au bar que l'on supporte la pression ?

• Pourquoi ne développe-t-on pas de sites en braille pour les aveugles ?

• Pourquoi ne met-on pas la main devant son cul quand on pète ?

• Pourquoi ne pas nous avoir mis une oreille derrière la tête pour pouvoir entendre ce qui se dit dans notre dos ?

• Pourquoi sort-on par la porte d'entrée ?

• Pourquoi tout le monde veut-il grimper en haut de l'échelle ? Qu'y a-t-il en haut ?

• Pourquoi un journal découpé en petits morceaux n'intéresse-t-il pas les femmes alors qu'une femme découpée en petits morceaux intéresse les journaux ?

• Pourquoi y a-t-il des scratchs qui ne servent à rien sur les nu-pieds ?

• Pourquoi y a-t-il toujours des voitures garées sur les parkings des supermarchés même lorsqu'ils sont fermés ?

• Pourquoi y a-t-il très peu de bons joueurs d'échecs alors que pourtant... il y a autant de gagnants que de perdants ?

• Pourquoi, au base-ball, la balle n'a-t-elle pas de trou ?

• Pourquoi, dans une voiture, n'y a-t-il jamais de gants dans la boîte à gants ?

• Pourquoi, lorsqu'on est en voiture, baisse-t-on la tête pour entrer dans un parking au plafond bas ?

• Pourquoi, quand tu es aux toilettes, te demande-t-on si tu as fini alors que si tu es encore dedans, c'est forcément que non ?

• Pourquoi, sur le bord des routes, trouve-t-on souvent une chaussure abandonnée mais jamais les deux ? Qu'est devenue l'autre chaussure ?

• Puis-je être en retard lorsque mon heure sera arrivée ?

• Puis-je retrouver une chaussette sur Meetic pour faire la paire avec celle qui est seule dans mon tiroir ?

• Puisqu'un homme averti en vaut deux, un homme à moitié averti est-il bien totalement averti ?

• Puisque l'on met les points sur les « i » et les barres aux « T » faut-il mettre les queues dans les « Q » ?

• Puisque lorsque nous sommes petits, on nous répète sans cesse « tu comprendras quand tu seras grand », les nains sont-ils restés cons ?

• Puisque lorsqu'on me parle anglais, pour moi, c'est du chinois... si je parle français à un Chinois, pour lui, est-ce de l'anglais ?

• Puisque nous sommes tous uniques, sommes-nous donc tous pareils : uniques ?

• Puisqu'un train peut en cacher un autre et qu'un con peut aussi en cacher un autre... y a-t-il une chance pour qu'un con dans un train puisse disparaître totalement ?

• Qu'est-ce qui pousse sur les Champs-Élysées ?

• « Qui sème le vent récolte la tempête. » Quelqu'un a-t-il des graines de vent ?

• Quand on a froid, n'a-t-on pas encore plus froid si on se pèle le cul ?

• Quand un arbre tombe dans une forêt... les autres arbres se marrent-ils ?

• Quand un astronaute pète, peut-il mourir asphyxié dans son scaphandre ?

• Que faire si mon chat est allergique à ses poils ?

• Que se passerait-il si on engageait deux détectives privés pour se filer l'un l'autre ?

• Quelqu'un a-t-il déjà fait « Zzzzzz » quand il dort ?

• Quelqu'un a-t-il déjà goûté du jus de chaussettes pour affirmer qu'un mauvais café en a le goût ?

• Quelqu'un a-t-il déjà pesé son linge pour être certain qu'il ne dépasse pas le poids maximum de la machine à laver ?

• Quelqu'un qui a deux mains gauches a-t-il le pouce de la main droite à la place du petit doigt ?

- Qui a volé l'orange du marchand ?

- Qu'y a-t-il dans un trou d'air ?

- Saura-t-on un jour pour qui sonne le glas ?

- Si c'est « le monde à l'envers », faut-il marcher sur les mains ?

- Si ce n'est pas le pied... c'est quoi d'autre ?

- Si dans une pièce sombre et obscure j'ai des qualités diverses et variées... suis-je con et stupide ?

- Si j'ai la tête dans les étoiles, est-ce parce que j'ai respiré trop d'hélium ?

- Si je couche avec deux jolies jumelles et que je ne voie pas mieux... me suis-je fait baiser ?

- Si je mange du fromage avec les pieds... qui va sentir quoi ?

- Si je parle du nez, puis-je parler en gardant la bouche fermée ?

- Si Jésus-Christ était mort noyé, mettrait-on un bocal au-dessus du lit ?

- Si l'encre de mon stylo fuit, est-ce parce que je lui fais peur ?

- Si le flic dit « papier » et que je réponde « ciseaux », est-ce que j'ai gagné ?

- Si tous les poissons meurent... que risquent les Balances, Sagittaires, Gémeaux et tous les autres ?

• Si ma voisine m'a tapé dans l'œil... dois-je porter plainte ?

• Si nos genoux se pliaient dans l'autre sens... faudrait-il mettre le dossier des chaises devant ou derrière ?

• Si on mange du savon... est-ce que ça va chier des bulles ?

• Si on supprimait tous les angles, se débarrasserait-on des cons qu'il y a dans tous les coins ?

• Si quelqu'un me prend la tête... me la rendra-t-il un jour ?

• Superman ne peut-il plus se changer depuis que les cabines téléphoniques ont disparu ?

• Sur un vélo... vaut-il mieux enlever le guidon ou les pédales ?

• Tout le monde sait qu'un chat retombe toujours sur ses pattes et qu'une tartine de confiture tombe toujours du côté de la confiture... Mais de quel côté retombe un chat avec une tartine sur le dos ?

• Un borgne peut-il avoir les yeux plus gros que le ventre ?

• Un cul-de-jatte peut-il avoir les pieds sur terre ?

• Un mime se suicide-t-il avec un silencieux ?

• Un nain en a-t-il plus rapidement par-dessus la tête ?

• Un nain prétentieux n'est-il pas celui qui dit qu'il a souvent la tête dans les nuages ?

• Un sans-papiers peut-il chier proprement ?

- Une blonde a-t-elle suffisamment de peau pour que son neurone puisse y tatouer le plan d'évasion de sa cellule grise ?

- Une brosse à dents... Et dentifrice Ève ?

- Une mouche se mouche-t-elle ? Peut-elle faire mouche ?

- Une personne qui éclate de rire a-t-elle une mort atroce ou joyeuse ?

- Une personne qui souffre des maladies d'Alzheimer et de Parkinson peut-elle oublier de trembler ?

- Where is Brian ?

- Y voir plus clair est-il possible pour un aveugle ?

- Zorra la rousse est-elle la femme de Zorro ?

Les femmes / les hommes

• **Qu'est-ce qu'une femme libre ?**
C'est celle qui a le droit de laver la vaisselle à l'heure qu'elle veut.

• **Qu'est-ce qu'un homme qui porte des préservatifs noirs ?**
Un veuf qui a promis à sa femme qu'il porterait le deuil jusqu'au bout !

• **Que doit mettre une femme sur ses oreilles pour attirer les hommes ?**
Ses genoux !

• **Pourquoi les hommes courent-ils après les femmes sans vouloir se marier avec elles ?**
Pour la même raison que les chiens courent après les voitures sans vouloir les conduire.

• **Quel point commun y a-t-il entre un canapé et un homme ?**
Le canapé est plus confortable.

• **Pourquoi les femmes n'ont-elles pas de pénis ?**
Parce qu'elles pensent avec leur tête.

• **Dans un train, un homme lit son journal.** Il le pose soudain et dit à sa voisine :
– C'est quand même stupéfiant. Vous imaginez que chaque fois que je respire, quelqu'un meurt dans le monde ?
Et la femme lui répond :
– Essayez les bonbons à la menthe.

• **Quel est le plus gros défaut des femmes ?**
Leur mari !

• **Lorsque deux gays font l'amour... lequel fait la femme ?**
Le plus intelligent !

• Qu'est-ce que les hommes ont de commun avec un clitoris, les toilettes et les anniversaires ?
Ils les ratent tout le temps !

• Un homme entre dans le bureau de son patron.
– Bonjour, monsieur le président directeur général. Voilà, c'est ma femme… Elle m'a dit de vous demander une augmentation…
– Très bien, monsieur Durant, je comprends. Je vais demander à la mienne…

• Quelle différence y a-t-il entre une femme et un frigo ?
Le frigo s'allume quand tu rentres la viande.

• Pourquoi les hommes ont-ils un trou au bout de leur sexe ?
Pour que l'oxygène puisse atteindre le cerveau.

• Quel point commun y a-t-il entre les hommes et les carreaux de carrelage ?
Si vous les posez bien la première fois, vous pouvez leur marcher dessus toute votre vie !

• Quel point commun y a-t-il entre une femme qui a ses règles et une porte d'entrée fermée ?
Il faut prendre la porte de service…

• Pourquoi un homme marié utilise-t-il plus de papier toilettes que lorsqu'il était célibataire ?
Parce qu'elles font chier !!!

• Pour un homme, quelle différence y a-t-il entre une poupée gonflable et sa femme ?
Il gonfle sa poupée et sa femme le gonfle !

• Qu'est-ce qu'une femme fait à son trou du cul tous les matins ?
Elle choisit les fringues qu'il doit mettre pour aller travailler.

• **Pourquoi les hommes pissent-il debout ?**
Parce que ce n'est pas eux qui nettoient les toilettes.

• **Comment a-t-on découvert qu'il existait des hormones femelles dans l'alcool ?**
Parce qu'après quelques verres, plus aucun homme ne sait conduire.

• **Quel point commun y a-t-il entre un flipper et un homme ?**
Il faut le secouer un peu pour pouvoir jouer avec la boule !

• **Quelle différence y a-t-il entre le PQ et les femmes ?**
Le PQ sert à essuyer la merde et les femmes nous emmerdent !

• **Quel point commun y a-t-il entre une porte et une chieuse ?**
Ça se claque !

• **Pourquoi fait-on des bonshommes de neige et pas des bonnes-femmes de neige ?**
Parce qu'il est trop compliqué d'évider la tête !

• **Une femme trouve une vieille lampe dans son grenier.**
Elle la frotte, frotte, frotte encore et... un génie en sort !
– Kof ! Kof ! Kof ! Que de poussière ! Je savais bien que seule une femme pourrait me libérer ! dit le génie.
– Pourquoi donc ?
– Tu as déjà vu un homme faire le ménage ? Bon, pour te remercier, je t'accorde le droit de faire un vœu !
– Un seul seulement ? Et pourquoi pas trois ? proteste la femme.
– Alors là, tu es bien une femme : jamais contente ! Tu te crois dans un livre de contes pour enfants, ou quoi ? rétorque le génie. Tu as droit à un seul et unique vœu.
La femme réfléchit alors longuement et demande au génie :
– Je voudrais la paix au Moyen-Orient.
– Heu... C'est où déjà ?

La femme lui montre son emplacement sur une carte du monde...

– Ah oui ! Hou, là, là ! Ils sont en guerre depuis la nuit des temps, là-bas... Je suis un génie, mais il ne faut pas me prendre pour un dieu ! En plus, je n'ai pas envie de m'engager dans un conflit dans lequel je risque de m'enliser... Non, vraiment, je ne peux rien faire pour le Moyen-Orient ! lui répond le génie qui rend la carte à la femme.

– Rien du tout ?

– Mission impossible ! Fais un autre vœu !

La femme réfléchit un instant et dit :

– Puisque tu ne peux rien faire pour le monde, je vais faire un vœu personnel : j'aimerais un mari qui soit beau, intelligent, riche, attentionné, tendre, cultivé, drôle, propre, très bon amant, fidèle, qui s'occupe des tâches ménagères et des enfants, qui ne boit pas, ne fume pas et qui n'aime pas le sport.

Le génie pousse un soupir et dit :

– C'est bon... J'ai compris... Remontre-moi cette foutue carte du Moyen-Orient !

• **Comment faire aboyer une vache ?**
En ne rentrant chez soi que saoul et très tard dans la nuit.

• **Que répond un homme romantique lorsque, pendant l'amour, sa femme lui demande :**
– Est-ce que tu m'aimes ?
– Qu'est-ce que tu crois ? Que je fais des pompes ?

• **Comment occuper un homme pendant des heures ?**
En le mettant devant la télé et en lui disant que c'est la mi-temps.

• **Pourquoi faut-il des milliers de spermatozoïdes et seulement un seul ovule pour une fécondation ?**
Parce que les spermatozoïdes aussi ne veulent pas s'arrêter demander leur chemin...

• **Quel point commun y a-t-il entre une femme et des chaussures ?**
Les deux se font enfiler par des pieds.

• **Quelle différence y a-t-il entre un homme et son bébé ?**
On peut laisser le bébé seul avec la nounou...

• **Comment appelle-t-on un homme qui, manifestement, méprise les femmes et s'efforce de les ridiculiser ?**
Un grand couturier.

• **Pourquoi les hommes aiment-ils tant les fellations ?**
Parce que pendant ce temps-là, leur femme se tait !

• **Pourquoi l'homme éjacule-t-il par saccades ?**
Parce que la femme avale par gorgées.

• **Pourquoi appelle-t-on le sexe de la femme « la chatte » ?**
Parce que si tu la caresses, ça ronronne...

• **Quelle différence y a-t-il entre la télécommande de la télévision et le point G ?**
Un homme cherchera toute la journée la télécommande.

• **C'est une vie de pacha mais...**
C'est une vie de chien.

• **Quel point commun y a-t-il entre une tortue et une femme ?**
Elles agitent les jambes quand on les retourne.

• **Le *Titanic* est en train de couler.** C'est la panique à bord. Tous les canots de sauvetage ont été pris d'assaut et de nombreux passagers sont encore à bord du bateau. Ils s'attendent à mourir dans les minutes qui viennent. Une femme hurle :

– Si je dois mourir, je voudrais qu'un homme puisse une dernière fois me faire sentir femme ! Y a-t-il un homme à bord pour me faire sentir femme ?
Un beau mâle s'approche de la femme en souriant. Il retire sa chemise, la lui tend et dit :
– Tiens, repasse-moi ça !

• **Un homme qui n'a plus d'oreilles se rend chez un chirurgien s'en faire greffer une paire.** Le chirurgien lui donne à choisir, dans un catalogue, les oreilles qu'il souhaite. Quelque temps après l'opération, l'homme revient voir le chirurgien.
– Docteur ! Je suis très content de mes oreilles. Avec, j'entends beaucoup mieux, mais il y a un gros problème...
– Lequel ? s'inquiète le docteur.
– J'entends mieux, mais je ne comprends plus rien !
– Mince ! Je suis désolé... J'ai dû vous faire choisir vos oreilles dans le catalogue des femmes !

• **Quelle différence y a-t-il entre une fée et une sorcière ?**
Deux années de mariage...

• **Quel point commun y a-t-il entre une femme et une tortue ?**
Si elle se retrouve sur le dos, elle est baisée.

• **Comment les filles font-elles pour avoir un vison ?**
Exactement de la même manière que font les visons pour avoir un petit vison...

• **Quel point commun y a-t-il entre un accident de voiture et une femme ?**
Quand on rentre dedans... ça fait mal !

• **Il était une fois un bel homme, très riche et beaucoup courtisé.** Très désireux de se marier, il ne parvenait pas à choisir sa future épouse parmi les trois superbes créatures qui avaient retenu son attention. Afin de faire son choix, il offrit à chacune d'elle la somme de 3 000 euros en leur demandant d'en faire ce qu'elles souhaitaient et de revenir dans un mois lui dire comment elles les avaient dépensés. Un mois plus tard donc, la première fille explique qu'elle s'est payé un relooking et une opération du nez. Elle argumente en disant qu'un homme tel que lui se devait d'avoir à ses côtés une femme toujours superbe.

La deuxième postulante revient voir le bel homme avec quelques présents : des packs de bière, des consoles de jeux vidéo, un abonnement à Canalsat, un fauteuil confortable, des revues coquines, un abonnement à son club de foot préféré... Elle lui explique que, selon elle, une femme se doit d'être à ses petits soins et tout faire pour que son mari puisse se détendre.

La troisième fille, elle, revient avec 3 500 euros. Elle n'a rien dépensé et a placé l'argent pour qu'il rapporte. Elle estime qu'une femme n'a pas à dépenser l'argent de son mari. Elle doit elle aussi gagner sa vie, c'est important pour l'équilibre du couple.

Le bel et riche homme est satisfait des résultats de son test. Il a obtenu trois résultats très différents qui devraient lui permettre de faire son choix parmi ces trois créatures de rêve. Et c'est donc après seulement quelques secondes de réflexion que le bel homme choisit, en toute logique : celle qui a les plus gros nichons ! Un homme restera toujours un homme...

• **Quel point commun y a-t-il entre les hommes qui fréquentent les bars ?**
Ils sont tous mariés.

• **Quel point commun y a-t-il entre un homme et un chat ?**
Ils ont tous les deux très peur de l'aspirateur.

• **Pourquoi le sexe masculin est ce qu'il y a de plus léger au monde ?**
Parce qu'une simple pensée suffit à le soulever.

• Qu'est-ce que la fidélité pour un homme ?
Un manque d'occasion.

• Comment sait-on qu'un homme va dire quelque chose d'intelligent ?
Quand il commence ses phrases par : « Ma femme m'a dit que… »

• Comment s'appelle la petite racine d'un très gros légume ?
Le pénis.

• Comment les hommes trient-ils leurs chaussettes ?
Les « sales » et les « encore mettables ».

• Pourquoi les lesbiennes sont-elles constipées ?
Parce qu'elles n'ont pas d'hommes pour les faire chier.

• Pourquoi les femmes sont-elles si dépensières ?
Comment faire autrement avec une tirelire qui a la fente en bas !

• Quelle différence y a-t-il entre un homme et une femme ?
Un homme a toujours la même queue entre les jambes.

• Pourquoi les femmes veulent-elles se marier en blanc ?
Pour être assorties aux appareils électroménagers.

• Comment appelle-t-on une femme qui sait toujours où se trouve son mari ?
Une veuve.

• Pourquoi les femmes n'ont-elles pas besoin de parapluie ?
Parce qu'il ne pleut jamais entre la cuisine et la chambre à coucher.

• Comment appelle-t-on le sexe d'un homme ?
Une sonde, car c'est ce qui permet de mesurer la profondeur de la cruche.

• **Pourquoi le pénis est-il bien un os ?**
Parce qu'il y a toujours une chienne qui tourne autour.

• **Pourquoi les femmes ont-elles la ménopause ?**
Pour garder du sang pour les varices !

• **Qu'est-ce qu'un bigame ?**
Un homme qui a une femme de trop.

• **Et un monogame ?**
Aussi...

• **Quelle différence y a-t-il entre une femme et une femme de ménage ?**
Avec la femme de ménage, quand c'est mouillé, on n'entre pas !

• **Qu'est-ce qu'une femme devant une feuille blanche ?**
Une femme qui lit ses droits.

• **Comment appelle-t-on une femme qui refuse de faire une fellation ?**
On ne l'appelle pas !

• **Quelle différence y a-t-il entre le pastis et une femme ?**
Le pastis est trouble quand on le mouille, la femme mouille quand on la trouble.

• **Les hommes sont comme les parkings : toujours pleins !**

• **Les hommes, c'est comme les chats : quand tu les caresses, ils dressent la queue !**

• **Les hommes, c'est comme du chewing-gum : au début c'est bon, mais après ça colle !**

• **Les beaux mecs, c'est comme les toilettes, c'est toujours occupé !**

Dieu
et ses apôtres

• **Jésus et ses douze apôtres se promènent au bord d'un lac.**
Plutôt que d'en faire le tour, Jésus décide de le traverser en
marchant sur l'eau. Les apôtres le suivent en marchant aussi
sur l'eau... Judas, qui était à la traîne, commence à couler et
se met à hurler :
– Aidez-moi ! Aidez-moi ! Je ne sais pas nager !
Mathieu se retourne et lui dit :
– Arrête de déconner... et marche sur les pierres !

• **Trois bonnes sœurs décédées dans un accident arrivent
devant saint Pierre...**
– Mes sœurs, l'une d'entre vous a-t-elle déjà touché le sexe
d'un homme ?
Une sœur s'avance et avoue...
– Oui, j'ai tenu le sexe d'un homme dans mes mains pour le
masturber...
– Oh ! Ma sœur ! Allez vite vous laver les mains dans le
bénitier et allez rejoindre le paradis !
Saint Pierre se tourne alors vers les deux autres et il n'a pas le
temps de leur poser la même question que l'une d'elles court
vers le bénitier pour se gargariser...
– Oh ! Ma sœur ! Avec...
– Oui, avec la bouche... C'est pour ça que je me suis
empressée de me gargariser avant que l'autre n'aille s'y
tremper le cul !

• **Michael Schumacher vient de mourir...** Arrivé dans l'au-
delà, il se retrouve sur un circuit automobile, au volant d'une
Formule 1 ! Il regarde le logo sur le volant de la voiture et
constate qu'il s'agit d'une Prost-Renault ! À ce moment, il
entend une voix grave lui dire :
– Bienvenue en enfer !

• **Un arbitre de foot décède et monte au ciel...**
– Saint Pierre, dit l'arbitre, il faut que je vous explique ce
qui s'est passé... J'arbitrais le match de foot PSG/Saint-
Étienne et j'ai sifflé un penalty, à la dernière minute du temps

réglementaire, en faveur de Saint-Étienne. Ils ont marqué et ont ainsi gagné la Coupe de France ! Je sais qu'il n'y avait pas penalty, mais... c'était plus fort que moi, j'avais envie de les voir gagner ! À la fin du match, les supporters parisiens se sont jetés sur moi et m'ont lynché... Je ne mérite certainement pas le paradis, mais je vous en supplie, pardonnez-moi !
– Ne t'inquiète pas, je vais t'ouvrir les portes du paradis.
– Oh, merci saint Pierre !
– Saint Pierre est en vacances, je le remplace. Moi, c'est saint Étienne.

• **Une jeune fille se rend au confessionnal...**
– Ma fille, quels sont vos péchés ?
– Tous les hommes m'appellent Marie !
– Je ne comprends pas...
– Eh bien, Marie a conçu un enfant sans pécher. N'est-ce pas ?
– Oui, c'est exact...
– Eh bien, moi, je fais exactement l'inverse : je pèche sans concevoir !

• **Alité, le pape attend que la mort vienne le chercher.**
Entouré des cardinaux qui le veillent, il exprime une dernière volonté :
– Avant que Dieu ne me rappelle... Allez... me chercher... François-Marie Banier... le photographe et ami de Liliane Bettencourt. Et aussi... Claire Thibout... son ancienne avocate...
Les cardinaux se démènent et parviennent à faire venir François-Marie Banier et Claire Thibout au chevet du pape.
– Pourquoi sommes-nous là ? demandent-ils au pape.
Et le pape leur répond :
– Jésus... est mort entre deux voleurs. Je veux faire pareil !

• **Pourquoi y a-t-il beaucoup d'églises à Rome ?**
Pour que les piétons puissent faire leur prière avant de traverser.

• **Dans la rue, un curé se retourne pour regarder les fesses d'une jolie fille.** Une femme s'en aperçoit et lui dit :
– Oh ! mon père ! Vous n'avez pas honte ?
– Mais madame, ce n'est pas parce que je ne consomme pas que je n'ai pas le droit de regarder le menu !

• **Pendant la guerre, des soldats allemands pénètrent dans un couvent et réunissent toutes les sœurs dans la salle principale.**
– Mesdemoiselles ! Vous allez toutes, sans exception, subir les pires outrages !
Une jeune sœur s'avance et dit :
– Pitié ! Pas la mère supérieure ! Je vous en supplie, épargnez notre mère supérieure !
La mère supérieure s'avance alors à son tour pour remettre la jeune sœur dans les rangs et dit :
– Il a dit toutes, sans exception !

• **Pourquoi le pape n'est-il pas à la hauteur ?**
À cause de son nom... Benoît XVI Sous-Pape...

• **Sœur Madeleine décède et est reçu par saint Pierre.**
– Sœur Madeleine, vous avez mené une vie exemplaire entièrement vouée à l'amour de Dieu et à votre prochain. Aussi, j'ai décidé de vous accorder une seconde chance : je vous renvoie sur terre afin que vous puissiez goûter à quelques petits plaisirs de la vie. La seule chose que je vous demande, c'est de me téléphoner pour me donner de vos nouvelles. Je vous propose de m'appeler les samedis entre 17 heures et 18 heures, c'est mon heure de repos hebdomadaire. Et enfin, lorsque vous en déciderez, vous viendrez rejoindre le paradis... quand bon il vous semblera !
Sœur Madeleine est donc ressuscitée. Le premier samedi, à 17 heures, elle téléphone à saint Pierre et lui dit :
– Bonjour, saint Pierre. C'est sœur Madeleine. Je suis à Nice, je bois un pastis... Quel délice !

Le samedi suivant, à 17 h 30, sœur Madeleine appelle saint Pierre :

– Bonjour saint Pierre ! C'est Madeleine. Je suis à Anvers, on boit de la bière... C'est super !

Le samedi suivant, à 18 heures, saint Pierre n'a toujours pas eu de nouvelles de sœur Madeleine... Et ce n'est qu'à 4 heures du matin que le téléphone sonne...

– Allô ! Saint Pierre ? C'est la petite Mado ! J'suis à Honolulu, j'ai goûté au cul... J'rentre plus !!!

• **Dans une école catholique, les enfants du pensionnat se rendent au réfectoire pour goûter.** Sur la table, les sœurs ont déposé une boîte de gâteaux avec, posé dessus, un petit mot rédigé par la mère supérieure : « Prenez-en un seul, Dieu vous surveille ! » Le soir même, juste avant d'aller se coucher, la mère supérieure ouvre son armoire pour prendre une bouteille d'alcool de prune qu'elle cache. Sur la bouteille, elle trouve un petit mot sur lequel il est écrit : « Prenez-en autant de petites lampées que vous voulez, Dieu surveille les gâteaux ! »

• **Un homme qui a effectué un voyage en Amérique du Sud a une crise cardiaque.** Le touriste se réveille dans un hospice tenu par des religieuses. La sœur qui assiste à son réveil lui dit :

– Vous avez fait un petit malaise cardiaque, mais tout va bien. Avez-vous une assistance de rapatriement ?

– Heu... Non, je n'en ai pas pris.

– Vous auriez dû ! Vous avez quand même une assurance-maladie ?

– Eh bien non...

– De l'argent pour payer votre séjour et les soins ?

– Je suis totalement fauché !

– Alors j'espère que quelqu'un de votre famille pourra régler la note !

– C'est-à-dire que je n'ai pas de famille... J'ai juste une sœur, une vieille fille qui est religieuse dans un couvent, en France.

– Monsieur, sachez que les religieuses ne sont pas des vieilles filles ! Apprenez qu'elles sont mariées à Dieu !
– Bah... Dans ce cas-là, envoyez la facture à mon beau-frère !

• **Un prêtre et une sœur font la traversée du désert sur le dos d'un chameau.** Malheureusement, ce dernier meurt d'épuisement... Le prêtre et la religieuse se retrouvent seuls, perdus en plein désert, avec seulement une gourde d'eau et sans nourriture. Deux jours plus tard, le prêtre et la religieuse savent que leur dernière heure est arrivée.
– Avant de passer de vie à trépas, dit le prêtre, pouvez-vous, ma sœur, m'accorder une faveur ?
– Oui, si je peux...
– Voilà... J'ai toujours rêvé de voir une femme nue et cette opportunité ne m'a jamais été offerte. Se pourrait-il que vous acceptiez de vous dénuder devant moi ?
– Mon père... Si telle est votre dernière volonté, j'accepte de me déshabiller. Dieu saura me pardonner.
La sœur se met alors toute nue, puis demande au prêtre :
– À votre tour, pourriez-vous réaliser un de mes vœux les plus chers ?
– Oui, bien sûr !
– J'aimerais, moi aussi, voir un homme nu...
Alors le prêtre se dévêt à son tour. La sœur semble étonnée :
– Qu'est-ce donc que ce bout de chair qui pendouille entre vos jambes, mon père ?
– Ma sœur, se pourrait-il que vous l'ignoriez ?
– Ma foi, oui ?
– Eh bien... Si j'introduis cela en vous, ma sœur, je peux créer une nouvelle vie !
– Alors... Oubliez-moi et dépêchez-vous de l'introduire dans le chameau !

• **Trois cigognes qui s'apprêtent à livrer des bébés discutent sur un toit.**
– Où allez-vous ? demande la première aux deux autres.

– Moi, je vais en région parisienne livrer une petite fille à un couple qui cherche à avoir un enfant depuis plus de cinq ans !

– Et moi, dit la troisième, j'apporte un joli petit garçon à un jeune couple dont c'est le premier enfant. Mais toi, où vas-tu ?

– Je vais dans un couvent...

– Quoi ! Pour des religieuses ? s'écrient les deux autres cigognes.

– J'y vais tous les ans. En fait, je n'apporte jamais rien, mais j'adore leur faire peur !

Faux proverbes

• **L'avenir appartient à ceux qui ont le veto.** (Coluche)
L'avenir appartient à ceux qui se lèvent tôt

• **Une de perdue, une de perdue.** (Jean-Marie Bigard)
Une de perdue, dix de retrouvées.

• **Noël au scanner, Pâques au cimetière.** (Pierre Desproges)
Noël au balcon, Pâques au tison.

• **C'est au pied du mur qu'on voit le mieux le mur.** (Jean-Marie Bigard)
C'est au pied du mur qu'on voit le maçon.

• **Il ne faut pas vendre la peau de l'ours, non il ne faut pas.** (Jean-Marie Bigard)
Il ne faut pas vendre la peau de l'ours avant de l'avoir tué.

• **Bien mal au cul ne profite jamais.** (Pierre Desproges)
Bien mal acquis ne profite jamais.

• **L'argent ne fait pas le bonheur des pauvres.** (Coluche)
L'argent ne fait pas le bonheur.

• **C'est en forgeant qu'on devient forgeron, c'est en troquant qu'on devient trop con.**
C'est en forgeant qu'on devient forgeron.

• **Il ne faut pas vendre peau de l'ours, surtout s'il n'est pas d'accord avec le prix.**
Il ne faut pas vendre la peau de l'ours avant de l'avoir tué.

• **Ne faites pas aux truies ce que vous ne voudriez pas qu'on vous fît.** (Gotlib/Goscinny)
Ne faites pas à autrui ce que vous ne voudriez pas qu'on vous fît.

• **Rose promise, chôm'dû !** (Coluche)
Chose promise, chose due.

• **Au royaume des cyclopes, les borgnes sont aveugles.**
(Philippe Geluck)
Au royaume des aveugles, les borgnes sont rois.

• **La nuit porte qu'on s'prend dans la gueule !**
La nuit porte conseil.

• **Sans travail à la Santé.**
Le travail c'est la santé.

• **Bien on ne sait pas à qui, profite à moi.**
Bien mal acquis ne profite jamais.

• **Un seul hêtre vous manque et tout est des peupliers.**
Un seul être vous manque et tout est dépeuplé.

• **Je broie ceux que je vois.**
Je ne crois que ce que je vois.

• **Aimez-vous les uns dans les autres.**
Aimez-vous les uns les autres.

• **C'est dans les pots des vieux qu'on fait les meilleurs prouts.**
C'est dans les vieux pots qu'on fait les meilleures soupes.

• **Tous les chemins mènent au rhum.**
Tous les chemins mènent à Rome.

• **Qui pisse loin ménage ses chaussures.**
Qui veut voyager loin ménage sa monture.

• **On ne fait pas d'omelette me cassant le nœud.**
On ne fait pas d'omelette sans casser des œufs.

• **Après la pluie, le gazon est mouillé.**
Après la pluie vient le beau temps.

• Qui vole un œuf n'a pas de poule.
Qui vole un œuf vole un bœuf.

• Qui vole un œuf va chez les keufs.
Qui vole un œuf vole un bœuf.

• Noël au balcon, gare au plongeon.
Noël au balcon, Pâques au tison.

• Ne remets jamais à deux mains ce que tu peux faire avec une seule.
Ne remets jamais au lendemain ce que tu peux faire le jour même.

• Ne remets jamais à deux nains ce que tu ne peux pas partager en deux.
Ne remets jamais au lendemain ce que tu peux faire le jour même.

• Indien vaut mieux que deux Sri Lanka.
Un tiens vaut mieux que deux tu l'auras.

• Les plaisanteries les plus courtes sont les moins longues.
Les plaisanteries les plus courtes sont les meilleures.

• C'est dans les vieux pots qu'on fait les meilleures soupes, mais les jeunes poireaux restent collés au fond.
C'est dans les vieux pots qu'on fait les meilleures soupes.

• Pingouin dans le jardin, l'hiver n'est pas loin.
Colchique dans les prés, c'est la fin de l'été.

• Qui aime le vent, joue de la trompette.
Qui sème le vent, récolte la tempête.

• Qui trop embrasse a mal aux reins.
Qui trop embrasse mal étreint.

• C'est en jurant qu'on devient fort en jurons.
C'est en forgeant qu'on devient forgeron.

• C'est la porte ouverte à toutes les fenêtres.
C'est la porte ouverte à tous les excès.

• Bon fion chiasse de race !
Bon chien chasse de race.

• On n'apprend pas à un vieux singe à manger des limaces.
On n'apprend pas à un vieux singe à faire des grimaces.

• Qui ne dit mot, se sent con.
Qui ne dit mot, consent.

• Chat écrasé ne craint plus l'eau froide.
Chat échaudé craint l'eau froide.

• Dis-moi ce que tu manges, je te dirai ce que tu chies.
Dis-moi qui tu fréquentes, je te dirai qui tu es.

• Bière qui roule n'a plus de mousse.
Pierre qui roule n'amasse pas mousse.

• Qui tire la chasse, laisse la place.
Qui part à la chasse, perd sa place.

• Qui rit le dernier, pense le moins vite.
Rira bien qui rira le dernier.

• L'amour est aveugle… mais ne le fais pas sur le balcon, car les voisins ne le sont pas.

• Portez des soutiens-gorge Walt Disney et vous aurez des seins animés.

• Mieux vaut une fille belle et rebelle qu'une fille moche et re-moche.

- Plus tu pédales moins vite, moins tu avances plus vite.

- À la Saint-Eustache fais-toi tailler la moustache, à la Saint-Philippe...

- Qui ne pète ni ne rote est voué à l'explosion.

- Qui marche dans le noir, se mange la baignoire.

- Si quand tu te promènes en forêt, les arbres te disent bonjour, cesse de manger des champignons.

- Plus tu es en haut de l'échelle, plus on voit ton cul !

- Dinde fourrée en décembre, marmot en septembre !

- Qui avale une noix de coco fait confiance à son anus...

- Si tu ne veux pas te taper sur les doigts, prends ton marteau à deux mains.

- Mieux vaut rater un baisé que baiser un raté !

- Si au crépuscule tu te réveilles avec quatre testicules, ne te prends point pour Hercule : c'est quelqu'un qui t'encule.

- Buvons le vin et laissons l'eau au moulin !

- Bière tu boiras, blanc tu pisseras !

- Grosse carotte, viens dans ma grotte. Carotte râpée, j'peux pas m'la taper !

C'est le comble !

- **Quel est le comble du prof de banlieue ?**
C'est de partir le matin enseigner et de rentrer le soir en saignant.

- **Quel est le comble pour un fossoyeur ?**
C'est d'avoir un trou dans son emploi du temps.

- **Quel est le comble du bonheur pour un ostréiculteur ?**
C'est de trouver une femme qui soit la perle rare.

- **Quel est le comble pour un militaire de carrière ?**
C'est de mourir d'une attaque.

- **Quel est le comble pour un couturier ?**
C'est de se faire arrêter sur l'autoroute à l'embranchement d'une bretelle parce qu'il n'avait pas sa ceinture !

- **Quel est le comble pour un pâtissier ?**
C'est de dormir sur le flanc.

- **Quel est le comble pour un chauffeur de corbillard ?**
C'est de rouler à tombeau ouvert.

- **Quel est le comble pour un mathématicien ?**
C'est de se faire piquer sa moitié dans un car par un tiers.

- **Quel est le comble de la courtoisie ?**
C'est de ne pas battre les cartes, car il y a des dames dessus !

- **Quel est le comble de la paresse ?**
C'est d'épouser une femme enceinte !

- **Quel est le comble de l'avarice ?**
C'est de retirer ses lunettes lorsqu'on n'a rien de particulier à regarder !

- **Quel est le comble pour un banquier ?**
C'est de trouver la vie sans intérêt.

• **Quel est le comble pour un vitrier ?**
C'est de porter une chemise à carreaux.

• **Quel est le comble de la malchance ?**
C'est de se noyer dans une rivière de diamants.

• **Quel est le comble pour une bonne sœur ?**
Rester vierge toute sa vie et mourir en sainte.

• **Quel est le comble pour un jardinier ?**
C'est de ne pas s'occuper de ses oignons !

• **Quel est le comble de l'ivrogne ?**
Se faire incinérer pour s'offrir une dernière cuite.

• **Quel est le comble de l'avarice ?**
C'est de mettre du diesel dans son briquet !

• **Quel est le comble pour un Noir ?**
C'est de travailler dans une blanchisserie et de s'occuper de linge de couleur.

• **Quel est le comble pour un électricien ?**
C'est de faire volte-face devant une chute de tension.

• **Quel est le comble pour un astronome ?**
C'est de manger les lentilles de son télescope.

• **Quel est le comble pour un cordonnier ?**
C'est d'avoir les dents qui se déchaussent.

• **Quel est le comble pour une taupe ?**
C'est de se creuser la tête.

• **Quel est le comble pour un boxeur ?**
C'est d'être d'une humeur grognon.

L'abus d'alcool est dangereux pour la santé

• **Deux types discutent au comptoir d'un bar :**
– Pourquoi tu bois, toi ?
– Je n'en peux plus. Je ne supporte plus la pression. Et toi ?
– Moi, je la supporte très bien : c'est la huitième que je bois !

• **Un type rentre chez lui après une soirée bien arrosée.** Sa femme l'attend de pied ferme...
– Te voilà enfin ! Tu veux m'expliquer pourquoi tu rentres à moitié bourré ?
– Ben... C'est pas ma faute, j'avais plus d'argent pour boire...

• **Un homme ivre, très laid et très pauvre découvre une lampe.** Il la frotte pour enlever la poussière et aussitôt en sort un génie qui lui dit :
– Fais trois vœux, je les réaliserai !
– Heu... Hic ! Je voudrais... hic... une bouteille de whisky qui ne se vide jamais quand on la boit ! Hic... Pas con, hein ? Aussitôt dit, aussitôt fait, l'homme tient dans ses mains une bouteille de whisky. Pour vérifier, il la boit cul sec et aussitôt après elle se remplit miraculeusement.
– Quels sont tes deux autres vœux ? demande le génie.
– Ben... T'as qu'à m'en mettre deux autres comme ça...

• **Au bar d'une discothèque, un type remarque deux superbes nanas.** Il demande au barman :
– Tu connais les deux filles assises là-bas ?
– Oui ! Mais ce n'est pas pour toi : ce sont des lesbiennes !
– Des quoi ?
– Des lesbiennes !
– Qu'est-ce que c'est ?
– Eh bien... Va le leur demander !
Le type rejoint les filles et s'incruste à leur table.
– On m'a dit que vous étiez lesbiennes, ça veut dire quoi ?
Et une fille lui répond :
– Eh bien, ça veut dire que l'on aime s'embrasser, se caresser la poitrine l'une l'autre.

Le gars se retourne alors vers le bar et crie au barman :
– Eh ! Trois whiskys ici pour nous les lesbiennes !

• **Un type en croise un autre devant un bar, par terre, complètement bourré.**
– Eh bien mon gars, tu tiens une sacrée cuite ! Tu peux te lever ?
– Ah... Ah ! Cé qué quoi ?
– Bon, j'ai compris, je vais t'aider...
Le type soulève le gars, le met sur ses jambes, mais l'ivrogne s'affale sur le trottoir. Le type regarde dans son portefeuille l'adresse du gars et décide de le ramener chez lui. Le gars est incapable de marcher et le type doit le traîner sur son dos jusqu'à chez lui. Il prend ensuite ses clefs, ouvre sa porte et le couche sur le canapé.
Le lendemain matin, le téléphone sonne chez l'ivrogne. Sa femme se lève et répond au téléphone en même temps qu'elle découvre son mari affalé sur le canapé. Elle raccroche, puis le secoue pour le réveiller :
– Espèce de poivrot ! Tu t'es encore saoulé cette nuit !
– Heu... non, non ! C'est pas vrai !
– Tu te fous de moi ? Le bar vient d'appeler, tu as oublié ton fauteuil roulant !

• **Deux clochards ouvrent une bouteille...**
– Comment s'appelle ce vin ? dit l'un.
– Il s'appelle pas, il se siffle !

• **Deux clochards s'apprêtent à pique-niquer dans un parc...**
– Alors, qu'est-ce que tu as apporté de bon ? demande le premier.
– Quatre bouteilles de pinard et une baguette de pain.
– T'es fou ! Qu'est-ce qu'on va faire de tout ce pain !

• **Deux copains complètement bourrés parlent de leur femme.**
– Ma femme est tellement moche que même toi tu n'en voudrais pas !
– Ça m'étonnerait !
– Ben… Viens chez moi, je vais te la montrer !
Ils arrivent donc chez le gars. Ils sonnent à la porte et sa femme vient ouvrir.
– Oh, la vache ! Elle est super moche ta femme ! Mais la mienne, c'est encore pire ! Allez… On va chez moi !
Les deux copains se retirent donc chez le second. Arrivé chez lui, il entre, fait ensuite entrer son copain, puis crie en direction de la chambre :
– Chérie !!! Viens là !
– Oui, oui… répond une petite voix. Faut que je mette mon sac sur la tête ?
– Non ! C'est pas pour te baiser, c'est pour te montrer !

• **Un type sonne à la porte d'une maison.** Le propriétaire lui ouvre…
– Oui, qu'est-ce que c'est ?
– Bonjour… J'suis bien au numéro 8 ?
– Non monsieur, vous êtes au numéro 88 !
– Ah ! Bah… Ça va, j'suis pas bourré, alors !

• **À 3 heures du matin, un type rentre chez lui après avoir bu quelques coups avec des copains alors qu'il avait promis à sa femme de rentrer avant minuit…** Il rentre sur la pointe des pieds, se déshabille et va se coucher dans la chambre de son nouveau-né, par terre, à côté du lit. Le lendemain matin, la femme se lève et le découvre en train de dormir dans la chambre du petit. Le mari se réveille, pose un doigt sur sa bouche et dit à sa femme :
– Chuuuuut ! Fais pas de bruit… J'ai eu toutes les peines du monde à le faire dormir cette nuit…

Et sa femme lui répond :
– Ah bon ? Je te signale qu'il a dormi avec moi dans notre lit !

• **Deux copains racontent leur soirée :**
– Hier soir, il a suffi d'un seul verre pour que je tombe raide par terre !
– Non !? Sans blague ?
– Oui, un seul ! Le neuvième, si je me rappelle bien...

• **Tard dans la nuit, un homme quitte un bar pour retourner chez lui.** Au détour d'une rue, il tombe nez à nez avec un type vêtu d'une cape noire et avec de grandes dents blanches ! Un vampire !!! Ce dernier lui dit :
– Soit je te saigne, soit je t'encule !
Préférant garder la vie sauve, l'homme se laisse prendre par-derrière. Au bout d'un moment, le vampire lui dit :
– Tu pourrais au moins faire comme si tu aimais ça !
– Ben... C'est que j'suis pas pédé, alors...
– Et alors ? Tu crois que je suis un vampire peut-être ?

• **En Écosse, une femme téléphone à son mari :**
– Reviens vite, il y a des extraterrestres dans la maison !
– Qu'est-ce que tu racontes ? Je crois que, pour une fois, ce n'est pas moi qui ai bu trop de whisky...
– Je ne plaisante pas ! Reviens, je t'en supplie ! Ils ont un gros ventre, six bras, et parlent en faisant un drôle de bruit... Qu'est-ce que je dois faire ?
– Bah... J'arrive, essaye de les faire patienter en attendant.
– Pour ça, pas de problème, ça fait une heure qu'ils parlent avec ta cornemuse !

• **Qu'est-ce que le courage ?**
C'est de rentrer saoul à la maison, d'avoir sa femme qui vous attend avec un balai et de lui demander : « Tu fais le ménage ou tu allais t'envoler quelque part ? »

• **Qu'est-ce que le culot ?**
C'est de rentrer saoul à la maison, de sentir le parfum de femme et d'avoir du rouge à lèvres partout, de voir femme vous attendre avec un balai et de lui dire : « T'inquiète pas, ça va être ton tour ! »

• **Il était une fois, dans le Far West, un trappeur nommé Bill, qui habitait seul dans la montagne.** Tous les six mois, il descendait dans la vallée et allait au saloon pour faire le plein de gnole et se vider les testicules avec la grosse Jennyfer. Un jour, il arrive au saloon et, après avoir chargé ses sacoches de whisky, demande à faire un petit tour dans la chambre avec la grosse Jennyfer. Le barman lui répond :
– Désolé, Bill. Mais Jennyfer est partie travailler en ville…
– Hein ? Mais la ville est à plus de quinze jours de marche !
– Désolé, Bill…
– Merde ! Comment je vais faire, moi, pour tirer un coup ?
– Ben… Dans six mois, quand tu redescendras, j'aurai peut-être recruté une autre fille ?
– Attendre encore six mois ? Pas question !
Le barman a une idée…
– Si tu ne peux pas attendre, tu peux faire ça avec le vieux Joe ?
– Quoi ? Le vieux Joe ! Hé ! T'es pas fou ? C'est un vieillard !
Quelques heures et quelques whiskys plus tard, le trappeur dit au barman :
– J'ai bien réfléchi… J'vais pas attendre encore six mois, j'tiendrai pas ! Il est où le vieux Joe ?
– À cette heure-là, il doit être dans sa ferme.
– Bon… Tu me promets que tout restera entre nous et que tu ne le diras à personne ?
– Personne… On sera quand même sept à le savoir !
– Sept ? Pourquoi sept ?
– Ben… Toi, moi, Joe et puis les quatre gars qui viendront tenir Joe, parce que Joe, il n'aime pas trop ça…

- **Un type entre dans un café en marchant sur les mains...**
– Mais qu'est-ce que vous faites ? lui demande le barman.
– Ben... J'ai promis à ma femme que je ne mettrais plus jamais les pieds dans un bistrot !

Toto

• **Toto avertit sa maîtresse :**
– Madame, je vous préviens : mon père a dit que si je continuais à avoir des notes comme ça, il y allait avoir des coups de pied au cul !

• **À table, un enfant annonce à ses parents :**
– Mon copain, il a dit que sa maman était meilleure que toi, maman !
– Ah bon ? fait la mère. Et que lui as-tu répondu ?
– Ben… Je lui ai dit que mon père il disait comme lui !

• **Au catéchisme, le curé demande aux enfants :**
– Qui peut me dire où se trouve le bon Dieu ?
Un premier enfant répond :
– Au paradis !
Un deuxième :
– Dans mon cœur !
Un troisième :
– Il est partout !
Et Toto :
– Dans la salle de bain !
– Dans la salle de bain ? s'étonne le curé. Explique-moi…
– Ben… Tous les matins, quand maman se douche et que mon père ne peut pas entrer dans la salle de bain, il tape sur la porte et il crie : « Bon Dieu, tu es encore là ! »

• **Dans le bus, Toto est assis à côté d'une vieille dame. Enrhumé, Toto n'arrête pas de renifler…** Agacée, la vieille dame finit par lui dire :
– Dis-moi, tu n'as pas de mouchoir ?
– Si, mais je ne le prête pas !

• **Toto rentre de l'école et va directement dans sa chambre sans dire un mot.** Son père le rappelle à l'ordre :
– Dis donc, toi ! On ne t'a pas appris à dire bonsoir à l'école ?
– Bah non ! fait Toto. Je n'y vais que la journée !

• **Toto se plaint auprès de sa maîtresse :**
– M'dame ! Y'a Rémy qui fait que mettre des coups de pied dans le cul !
– Toto ! Je ne réponds pas aux petits garçons mal élevés ! répond la maîtresse en colère.
Et Toto reformule sa plainte :
– M'dame ! Y'a Rémy qui fait que me mettre des coups de pied dans le cul, s'il vous plaît !

• **Toto qui jouait dans le jardin rentre précipitamment chez lui :**
– Papa ! Les voisins, ils frappent leur fils !
– Et pourquoi ?
– Parce qu'ils sont super radins !
– Qu'est-ce qui te fait dire cela ?
– Eh bien, ils sont en train de lui donner des grands coups de poing dans le dos, tout ça parce qu'il a avalé une pièce de 1 euro…

• **Toto rentre de l'école et annonce fièrement à son père :**
– Papa ! J'ai des poils qui poussent !
– Ah bon ? Depuis quand ?
– C'est la maîtresse qui me l'a dit !
– Comment ça !
– Elle m'a dit : « Tu as un poil dans la main, un cheveu sur la langue et tu es toujours de mèche avec quelqu'un pour faire des bêtises ! »

• **Le père de Toto se fâche :**
– Le voisin est venu se plaindre, il paraît que tu as cassé une dent à son fils ?
– Non, papa ! C'est pas vrai, je te le jure !
– Ne mens pas ! S'il est venu, c'est parce que tu lui as cassé une dent.
– Non ! Son père, c'est un menteur !
Dans le doute, le père décide d'aller voir le voisin en compagnie de son fils…

– Désolé de vous déranger, mais mon fils affirme qu'il n'a rien fait...
– Hein ! Mais bien sûr que si ! Il lui a cassé deux dents !
– Ah ! fait Toto. Tu vois papa que c'est un menteur ? Je ne lui ai pas cassé une dent mais deux dents !

• **La maîtresse interroge Toto :**
– Que veux-tu devenir plus tard ?
– Un gros con, madame !
– Pardon ? Pourquoi dis-tu cela ?
– C'est parce que mon père, il dit toujours : « Regarde ce gros con plein de fric dans sa Ferrari ! »

• **Toto dit à sa mère :**
– Papa arrive dans dix minutes... Quelle mauvaise nouvelle penses-tu pouvoir ne pas lui annoncer ? L'accident que tu as eu avec sa voiture, mon 2 sur 20 en maths, ou la machine à laver qui est foutue ?

• **Un après-midi, la maman de Toto a invité une petite copine de classe à jouer avec son fils.** Alors que Toto sort enfin de sa chambre, sa maman lui demande :
– Alors ? Vous avez bien joué ?
– Oui, on a joué au papa et à la voisine !

• **La mère de Toto insiste pour qu'il termine son assiette :**
– Dépêche-toi de finir de manger ! Pense un peu à ces millions de petits Africains qui n'ont rien à manger !
– Ah oui ? Alors cite-m'en un !

• **Toto, qui a quatre grands frères, dit à son père :**
– Mon premier porte des lunettes... Mon deuxième va faire la vaisselle ce soir... Mon troisième a eu 15 en français... Mon quatrième t'a aidé à laver la voiture...
– Oui, fait le papa, et mon dernier ?
– Le dernier, c'est moi ! Avec un 2 en math !

• **Toto demande à maîtresse :**
– À force de me garder en soutien toutes les semaines... vous n'avez pas peur que votre mari se fasse des idées ?

• **La maîtresse entre dans la classe et découvre que quelqu'un a écrit sur le tableau :** « Toto a une grosse bite ! »
Furieuse et reconnaissant l'écriture du farceur, elle crie :
– Toto ! Tu resteras avec moi à la fin du cours !
Toto se retourne alors vers un copain et lui dit en clignant de l'œil :
– Tu vois, ça marche la pub !

• **La maîtresse dit à Toto :**
– Pourquoi n'es-tu pas venu à l'école hier ?
– C'est mon grand-père, il s'est brûlé !
– Ah bon ? Rien de grave, j'espère ?
– Ben... Au crématorium, ils ne plaisantent pas !

• **La maîtresse demande :**
– Qui peut me dire où se trouve Bordeaux ?
Toto répond :
– Dans la cave de mon père, maîtresse !

• **La maîtresse interroge Toto :**
– Sais-tu ce qui arrive à un corps lorsqu'il est plongé dans l'eau ?
– Oui, maîtresse ! Le téléphone sonne !

• **Toto revient de l'église et dit fièrement à sa maman :**
– Maman, j'ai été honnête avec le curé !
– Ah ! Je suis fière de toi ! dit sa maman. Qu'as-tu fait ?
– Eh bien, à la fin de la messe, il m'a tendu une corbeille avec plein d'argent dedans et je lui ai dit : « Non merci ! »

• **Le papa de Toto explique à son fils :**
– Dans la vie, ce qui est important, c'est de faire son devoir et de se moquer du reste.
– Alors tu vas être content, papa ! J'ai fait un devoir à l'école, j'ai eu zéro, et je m'en moque !

MAMAN ! EN RENTRANT DE L'ÉCOLE, J'AI MARCHÉ SUR LE PIED D'UN MONSIEUR SANS LE FAIRE EXPRÈS !

OH ! ET QU'AS-TU DIS À CE PAUVRE MONSIEUR ?

JE LUI AI DIT PARDON ET...

...REGARDE ! IL M'A DONNÉ UNE PIÈCE DE 2 EUROS !

C'EST TRÈS GENTIL À LUI ! ET QU'AS-TU FAIT APRÈS ?

EH BIEN, JE LUI AI MARCHÉ SUR L'AUTRE PIED !

D.Truchi-

• **Toto vient de briser les vitres d'une épicerie avec son lance-pierre...** L'épicier l'attrape par les oreilles et le reconduit jusque chez ses parents pour avoir une explication avec eux. Sa mère ouvre la porte et découvre le spectacle...
– Bonjour... Qu'est-ce qui se passe ? Toto... Qu'as-tu encore fait !
– Eh bien... Je nettoyais tranquillement mon arme et le coup est parti tout seul !

• **Toto est au restaurant avec sa mère...**
– Maman ! T'as vu le monsieur ? Il mange sa soupe avec sa fourchette !
– Chuuut ! Tais-toi !
– Maman ! Regarde ! Il boit l'eau du vase sur la table !
– Toto, arrrrrrête....
– Maman ! Maintenant, il s'essuie avec la nappe !
– Bon, maintenant, ça suffit ! Toto, va immédiatement lui rendre ses lunettes !

• **Toto et ses parents s'apprêtent à aller dîner chez des amis.**
– Je te préviens, dit la maman à Toto. Ce soir, tu as intérêt à bien te tenir !
– Pourquoi ? La maison est en pente ?

Papa, maman
et le curé

• **Chez nous, l'agriculture, c'est une coutume.**
Mon papa sème le blé,
Ma maman récolte le maïs...
Et le curé laboure !

• **Chez nous, l'équitation, c'est une coutume.**
Mon papa fait le jockey,
Ma maman prépare la jument...
Et le curé la monte !

• **Chez nous, la chasse, c'est une coutume.**
Mon papa prend le fusil,
Ma maman débusque la faisane...
Et le curé la tire !

• **Chez nous, la chaussure, c'est une coutume.**
Mon papa fait l'Addidas,
Ma maman fait la Reebok...
Et le curé la Nike !

• **Chez nous, les rideaux, c'est une coutume.**
Mon papa fait le tissu,
Ma maman fait les anneaux...
Et le curé la tringle !

• **Chez nous, la dinde, c'est une coutume.**
Mon papa la découpe,
Ma maman prépare les marrons...
Et le curé la fourre !

• **Chez nous, la cheminée, c'est une coutume.**
Mon papa fait le bois,
Ma maman fait le feu...
Et le curé la ramone !

• **Chez nous, les outils, c'est une coutume.**
Mon papa prend le marteau,
Ma maman tient les clous...
Et le curé la lime !

• **Chez nous, le parquet, c'est une coutume.**
Mon papa le découpe,
Ma maman pose les lattes...
Et le curé l'astique !

• **Chez nous, le vélo, c'est une coutume.**
Mon papa fait le coureur,
Ma maman monte la selle...
Et le curé la pompe !

• **Chez nous, les Renault, c'est une coutume.**
Mon papa a une Mégane,
Ma maman a une Twingo...
Et le curé l'Alpine !

• **Chez nous, le jardin, c'est une coutume.**
Mon papa fait les tomates,
Ma maman fait les salades...
Et le curé l'asperge !

• **Chez nous, le rugby, c'est une coutume.**
Mon papa marque les essais,
Ma maman fait les drops...
Et le curé la touche !

• **Chez nous, l'apéro, c'est une coutume.**
Mon papa boit le Ricard,
Ma maman le Martini...
Et le curé la Suze !

• **Chez nous, la musique, c'est une coutume.**
Mon papa aime le piano,

Ma maman la flûte...
Et le curé la viole !

• **Chez nous, la couture, c'est une coutume.**
Mon papa prend le fil,
Ma maman tient l'aiguille...
Et le curé l'enfile !

• **Chez nous, les chapeaux, c'est une coutume.**
Mon papa fait des borsalinos,
Ma maman des hauts-de-forme...
Et le curé des calottes !

• **Chez nous, le pain, c'est une coutume.**
Mon papa prépare le four,
Ma maman fait la pâte...
Et le curé l'enfourne !

• **Chez nous, les voyages, c'est une coutume.**
Mon papa aime la Mongolie,
Ma maman la Russie...
Et le curé la Perse !

• **Chez nous, la crêpe, c'est une coutume.**
Mon papa fait chauffer la poêle,
Ma maman fait la pâte...
Et le curé la saute !

• **Chez nous, la découpe du tissu, c'est une coutume.**
Mon papa fait des carrés,
Ma maman fait des ronds...
Et le curé des bandes !

• **Chez nous, l'immobilier, c'est une coutume.**
Mon papa cherche un appartement,
Ma maman le décore...
Et le curé l'habite !

• **Chez nous, le sport, c'est une coutume.**
Mon papa aime le foot,
Ma maman aime le basket...
Et le curé la pelote !

Made in Belgium

• En Belgique, une maîtresse explique ce que sont les pléonasmes et donne quelques exemples :
– Un petit nain... Descendre en bas... Quelqu'un peut-il me donner un autre exemple ?
Et un petit lui répond :
– Un primitif flamand...

• Un Français, un Italien et un Belge se perdent dans la forêt amazonienne et se font capturer par une tribu de cannibales. Le chef des cannibales leur annonce :
– Je vais vous laisser une chance de ne pas être mangés et de ne pas finir en canoë. Celui qui me demandera un plat que je ne serai pas capable de lui servir sera épargné !
Le Français, qui est d'origine alsacienne, demande :
– Une choucroute ! Je veux une choucroute !
Deux jours plus tard... Le chef des cannibales revient avec une grosse choucroute toute fumante... Le Français la mange, puis il est tué. Les cannibales le dépècent, le dévorent et gardent sa peau, qu'ils font ensuite sécher pour en faire un canoë. Le Français digéré, le cannibale demande à l'Italien :
– Demande-moi un plat que je ne pourrai pas te servir et tu seras épargné !
– Une pizza Stromboli ! Oui, une Stromboli !
Deux jours plus tard... Le cannibale revient avec une magnifique Stromboli... L'Italien est forcé de la manger, puis il est dépecé, mangé, et sa peau tendue au soleil pour confectionner un canoë. L'Italien digéré par la tribu, le chef demande au Belge :
– Et toi ? Quel plat souhaites-tu que je t'apporte ?
– J'ai pas faim. Je veux juste la fourchette !
– Ah ! Ah ! Ah ! Mais cela ne va me prendre que quelques secondes ! Tu es certain de ton choix ?
– Oui, une fourchette !
Le cannibale revient avec une fourchette. Le Belge s'en empare et commence alors à se la planter dans tout le corps en criant : « Tant pis pour le canoë ! Tant pis pour le canoë ! »

• **Deux gangsters belges attaquent une banque.** Sous
la menace de leurs armes, le directeur est contraint de
mettre dans des sacs le contenu des coffres. Les deux Belges
s'enfuient ensuite avec leur butin et, une fois arrivés chez eux,
renversent le contenu des sacs sur le lit. Mais c'est la grande
désillusion...
– Hein ! Il s'est bien foutu de notre gueule le directeur ! Il
nous a donné des pots de yaourt !
– Le salop ! Je comprends tout : ce n'est pas le coffre qu'il
nous a ouvert, mais le frigo !
– Ah, le con ! Mais puisque c'est ça, ses yaourts, on va quand
même les lui bouffer !
Et toute la nuit, les deux truands mangent des yaourts à s'en
faire péter la panse. Le lendemain matin, ils allument la télé
pour écouter le journal télévisé. La présentatrice ouvre son
journal en parlant d'eux...
– Hier, en fin d'après-midi, a eu lieu un étonnant braquage
à main armée. En effet, c'est la toute première fois qu'une
banque du sperme est dévalisée...

• **L'Angleterre a commandé une étude scientifique afin de
déterminer la raison pour laquelle le gland est plus gros
que la verge.** Cette étude a demandé trois ans de travaux et
500 000 euros de budget. Les Anglais ont conclu que le gland
est plus gros afin de procurer plus de jouissance à l'homme.
La France, peu convaincue par les résultats de cette étude, a
elle-même étudié le sujet. Un comité de chercheurs a travaillé
pendant quatre ans de manière acharnée. Et force est de
constater que les conclusions françaises diffèrent de celles
de leurs amis britanniques : le gland serait plus gros afin de
procurer l'orgasme chez la femme.
Les Belges sont restés perplexes après les conclusions de leurs
collègues européens. Leurs meilleurs scientifiques n'auront mis
que deux jours pour comprendre pourquoi le gland est plus
gros : c'est pour éviter que le poignet glisse et vienne frapper
le front de l'homme !

• **Pourquoi y a-t-il autant d'accidents sur les routes en Belgique ?**
Parce qu'ils conduisent avec le permis de chasse !

• **Un Belge rentre chez lui et s'étonne de trouver sa femme toute nue dans la chambre.**
– Mais qu'est-ce que tu fous à poil à cette heure-là, une fois ?
– Heu, rien. Je n'ai plus rien à me mettre !
– Tu te moques de moi ?
Le mari ouvre la penderie et compte les robes :
– Une robe, deux robes, trois robes, quatre robes, pardon monsieur, cinq robes, six robes…

• **Un paysan belge possède deux magnifiques chevaux, mais il ne parvient pas à les différencier.** Ils se ressemblent comme deux gouttes d'eau ! Il demande conseil à son voisin pour trouver un truc qui lui permettrait de les reconnaître. Son voisin lui dit :
– T'as qu'à peindre les sabots de l'un d'entre eux et tu n'auras plus de souci !
Le paysan suit le conseil de son ami. Mais dès le lendemain il pleut et la peinture fiche le camp… Il revient auprès de son voisin, qui lui conseille :
– T'as qu'à couper la crinière de l'un d'eux et le tour sera joué !
Il coupe la crinière de l'un des deux chevaux, mais un mois plus tard, celle-ci a repoussé… Il va de nouveau demander l'avis de son voisin :
– T'as qu'à couper l'oreille d'un des chevaux. Après t'auras plus de souci pour les différencier !
Il coupe l'oreille de l'un des deux chevaux, mais une semaine plus tard, l'autre cheval se prend la tête dans une clôture et y laisse son oreille ! Le paysan belge n'en peut plus… Il lui faut trouver une solution. Une dernière fois, il va consulter son voisin :
– T'as qu'à mesurer le diamètre de leur cou. Il y a forcément une petite différence !

Le Belge mesure les deux cous. Et cette fois-ci, il est satisfait de la méthode. Il se rend chez son voisin pour l'en informer :
– Je te remercie beaucoup, ça a marché ! J'ai mesuré les cous des deux chevaux et… le cou du cheval blanc est bien plus gros que celui du cheval noir !

• **Des informaticiens viennent d'identifier un nouveau virus informatique susceptible d'être dangereux pour les données de votre ordinateur.** Si vous recevez le mail suivant, détruisez-le :
« Ce mail est un virus informatique belge. N'ayant pas encore trouvé le moyen de détruire vos données, nous vous remercions de détruire manuellement tous les fichiers de votre ordinateur. Pour cela, faites glisser vos fichiers dans la poubelle de l'ordinateur, puis cliquez sur "Vider la corbeille". Par ailleurs, nous vous remercions de faire suivre ce mail à tout votre carnet d'adresses. »

• **Deux couples de Belges décident de pratiquer l'échangisme.** Un soir, ils organisent donc une soirée… Au bout de quelques heures d'échangisme, l'un des deux hommes dit à l'autre :
– À ton avis… Est-ce que nos femmes se font chier autant que nous dans la chambre d'à côté ?

• **En Belgique, un camion qui transporte des chevaux arrive sur l'hippodrome.** À l'entrée, quelqu'un contrôle le contenu du camion et s'étonne :
– Mais il n'y a aucun cheval dans ce camion ?
– Je sais, répond le chauffeur, j'amène les non-partants !

• **C'est un bûcheron belge qui s'installe dans le Grand Nord américain pour y exercer son métier.** Tout va pour le mieux et il vit correctement des deux arbres qu'il parvient à abattre tous les jours. En se promenant en ville, il voit dans la vitrine d'un magasin une tronçonneuse dernier cri. Un écriteau apposé sur celle-ci indique : « Avec la tronçonneuse Couplab, abattez jusqu'à vingt arbres par jour ! »

Il rentre dans le magasin et achète la tronçonneuse. Une semaine plus tard, le bûcheron belge revient furieux au magasin. Il s'adresse au vendeur qui la lui avait vendue :

– Elle est nulle cette tronçonneuse, une fois ! Je n'ai pas abattu plus d'arbres que d'habitude. Votre écriteau dit qu'avec ça vous pouvez faire tomber vingt arbres par jour !

Le vendeur s'étonne et lui explique que les bûcherons locaux en sont très contents. Il vérifie le niveau d'essence et active le starter. Le moteur se met en marche immédiatement. Le Belge dit alors :

– Mais ? C'est quoi ce bruit, une fois ?

● **Comment les femmes belges accouchent-elles ?**
Le médecin accoucheur met une frite entre leurs jambes et dit : « Petit, petit, petit. »

● **Un Français retrouve un vieux copain belge.**
– Comment vas-tu ? Quel âge ça te fait maintenant ?
– Je viens d'avoir septante-quatre !
– Heu… Ça fait combien en français ?
– Ben, ça fait nonante-quatre moins vingt !

● **Un prisonnier belge appelle un gardien pour se plaindre :**
– C'est inadmissible ! Il n'y a pas un jour où la nourriture soit correcte ! Avant hier, il y avait un revolver dans mon potage. Hier, une lime dans mon riz, et encore aujourd'hui, un trousseau de clefs dans ma patate !

● **En Belgique, deux usines se font face.** L'une en Wallonie et l'autre en pays flamand. À l'entrée de l'usine wallonne on peut lire sur une pancarte : « Ici, on ne parle pas flamand ! » Et à l'entrée de l'usine flamande on peut lire sur une pancarte : « Ici, on ne parle pas : on travaille ! »

Impression réalisée par

La Flèche
en novembre 2010
pour le compte
des Éditions F I R S T

Dépôt légal : novembre 2010
N° d'impression : 61155
Imprimé en France